EDGAR ALLAN POE

 O CORVO
E OUTROS CONTOS
EXTRAORDINÁRIOS

Camelot
EDITORA

**MATERIAL COMPLEMENTAR
ACESSE AQUI**

Copyright da tradução e desta edição ©2021 por Fabio Kataoka

Título original: The Raven
Textos originais de domínio público. Reservados todos os direitos desta tradução e produção.

Direitos reservados e protegidos pela lei 9.610 de 19.2.1998.
Nenhuma parte deste livro pode ser reproduzida, arquivada em sistema de busca ou transmitida por qualquer meio, seja ele eletrônico, xérox, gravação ou outros, sem prévia autorização do detentor dos direitos, e não pode circular encadernada ou encapada de maneira distinta daquela em que foi publicada, ou sem que as mesmas condições sejam impostas aos compradores subsequentes.
1ª Impressão 2021

Presidente: Paulo Roberto Houch
MTB 0083982/SP

Coordenação Editorial: Priscilla Sipans
Coordenação de Arte: Rubens Martim (capas)
Revisão: Suely Furukawa
Diagramação: Rogério Pires

Vendas: Tel.: (11) 3393-7723 (vendas@editoraonline.com.br)

Impresso no Brasil.
Foi feito o depósito legal.

Dados Internacionais de Catalogação na Publicação (CIP)
(eDOC BRASIL, Belo Horizonte/MG)

P743c Poe, Edgar Allan, 1809-1849.
O corvo e outros contos extraordinários / Edgar Allan Poe. – Barueri, SP: Camelot, 2021.
15,5 x 23 cm

ISBN 978-65-87817-33-0

1. Ficção americana. 2. Literatura infantojuvenil. I. Título.
CDD 028.5

Elaborado por Maurício Amormino Júnior – CRB6/2422

Direitos reservados à
IBC – Instituto Brasileiro de Cultura LTDA
CNPJ 04.207.648/0001-94
Avenida Juruá, 762 – Alphaville Industrial
CEP. 06455-907 – Barueri/SP
www.editoraonline.com.br

Introdução	5
O corvo The Raven, 1845 – Tradução de Machado de Assis, 1883	6
O corvo The Raven, 1845 – Tradução de Fernando Pessoa, 1924	14
O retrato oval Life in Death, 1842 (The Oval Portrait)	18
A máscara da morte vermelha The Masque of the Red Death, 1842	28
Um manuscrito encontrado numa garrafa Manuscript Found in a Bottle, 1833	30
Os crimes da rua Morgue The Murders in the Rue Morgue, 1841	40
A carta roubada The Purloined Letter, 1844	70
O poço e o pêndulo The Pit and the Pendulum, 1842	88
Berenice Berenice, 1835	102
Metzengerstein Metzengerstein, 1832	112
O caso do Sr. Valdemar The Facts in the Case of M. Valdemar, 1845	120
A queda da casa de Usher The Fall of the House of Usher, 1839	130
Pequena discussão com uma múmia Some Words with a Mummy, 1845	147

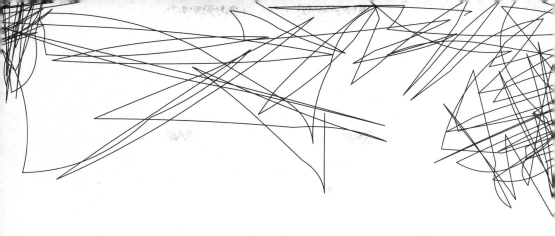

INTRODUÇÃO

A presentamos aqui alguns dos contos mais famosos do escritor americano Edgar Allan Poe, considerado o introdutor do gênero policial e de mistério. Ele nasceu em 1809 em Boston e morreu em Baltimore, em 1849.

Iniciamos a coletânea com o poema *O corvo*, na primeira tradução para português, feita por Machado de Assis, em 1883. Em seguida, trazemos a versão do poeta português Fernando Pessoa, de 1924. Ambos mestres da língua portuguesa, transmitem, cada um em seu estilo, a musicalidade e atmosfera sobrenatural diante de um corvo falante que visita um rapaz.

Outros contos extraordinários, como *O retrato oval* e *Os crimes da rua Morgue* e *Pequena discussão com uma múmia* trazem marcas consagradas de Edgar Allan Poe: enigmas, mistérios e suspense.

O CORVO

The Raven, 1845

Tradução de Machado de Assis, 1883

Em certo dia, à hora, à hora
Da meia-noite que apavora,
Eu caindo de sono e exausto de fadiga,
Ao pé de muita lauda antiga,
De uma velha doutrina, agora morta,
Ia pensando, quando ouvi à porta
Do meu quarto um soar devagarinho,
E disse estas palavras tais:
"É alguém que me bate à porta de mansinho;
Há de ser isso e nada mais."

Ah, bem me lembro! Bem me lembro!
Era no glacial dezembro;
Cada brasa do lar sobre o chão refletia
A sua última agonia.
Eu, ansioso pelo sol, buscava
Sacar daqueles livros que estudava
Repouso (em vão!) à dor esmagadora
Destas saudades imortais
Pela que ora nos céus anjos chamam Lenora.
E que ninguém chamará mais.

E o rumor triste, vago, brando,
Das cortinas ia acordando
Dentro em meu coração um rumor não sabido
Nunca por ele padecido.
Enfim, por aplacá-lo aqui no peito,
Levantei-me de pronto e: "Com efeito
(Disse) é visita amiga e retardada
Que bate a estas horas tais.
É visita que pede à minha porta entrada:
Há de ser isso e nada mais."

Minh'alma então sentiu-se forte;
Não mais vacilo e desta sorte
Falo: "Imploro de vós, – ou senhor ou senhora –
Me desculpeis tanta demora.
Mas como eu, precisando de descanso,
Já cochilava, e tão de manso e manso
Batestes, não fui logo prestemente,
Certificar-me que aí estais."
Disse: a porta escancaro, acho a noite somente,
Somente a noite, e nada mais.

Com longo olhar escruto a sombra,
Que me amedronta, que me assombra,
E sonho o que nenhum mortal há já sonhado,
Mas o silêncio amplo e calado,
Calado fica; a quietação quieta;
Só tu, palavra única e dileta,
Lenora, tu, como um suspiro escasso,
Da minha triste boca sais;
E o eco, que te ouviu, murmurou-te no espaço;
Foi isso apenas, nada mais.

Entro coa alma incendiada.
Logo depois outra pancada
Soa um pouco mais forte; eu, voltando-me a ela:
"Seguramente, há na janela
Alguma cousa que sussurra. Abramos,

Eia, fora o temor, eia, vejamos
A explicação do caso misterioso
Dessas duas pancadas tais.
Devolvamos a paz ao coração medroso.
Obra do vento e nada mais."
Abro a janela, e de repente,
Vejo tumultuosamente
Um nobre corvo entrar, digno de antigos dias.
Não despendeu em cortesias
Um minuto, um instante. Tinha o aspecto
De um *lord* ou de uma *lady*. E pronto e reto
Movendo no ar as suas negras alas.
Acima voa dos portais,
Trepa, no alto da porta, em um busto de Palas;
Trepado fica, e nada mais.

Diante da ave feia e escura,
Naquela rígida postura,
Com o gesto severo - o triste pensamento
Sorriu-me ali por um momento,
E eu disse: "O tu que das noturnas plagas
Vens, embora a cabeça nua tragas,
Sem topete, não és ave medrosa,
Dize os teus nomes senhoriais;
Como te chamas tu na grande noite umbrosa?"
E o corvo disse: "Nunca mais."

Vendo que o pássaro entendia
A pergunta que lhe eu fazia,
Fico atônito, embora a resposta que dera
Dificilmente lha entendera.
Na verdade, jamais homem há visto
Cousa na terra semelhante a isto:
Uma ave negra, friamente posta,
Num busto, acima dos portais,
Ouvir uma pergunta e dizer em resposta
Que este é o seu nome: "Nunca mais."

No entanto, o corvo solitário
Não teve outro vocabulário,
Como se essa palavra escassa que ali disse
Toda sua alma resumisse.
Nenhuma outra proferiu, nenhuma,
Não chegou a mexer uma só pluma,
Até que eu murmurei: "Perdi outrora
Tantos amigos tão leais!
Perderei também este em regressando a aurora."
E o corvo disse: "Nunca mais!"

Estremeço. A resposta ouvida
É tão exata! É tão cabida!
"Certamente, digo eu, essa é toda a ciência
Que ele trouxe da convivência
De algum mestre infeliz e acabrunhado
Que o implacável destino há castigado
Tão tenaz, tão sem pausa, nem fadiga,
Que dos seus cantos usuais
Só lhe ficou, na amarga e última cantiga,
Esse estribilho: "Nunca mais."

Segunda vez, nesse momento,
Sorriu-me o triste pensamento;
Vou sentar-me defronte ao corvo magro e rudo;
E mergulhando no veludo
Da poltrona que eu mesmo ali trouxera
Achar procuro a lúgubre quimera.
A alma, o sentido, o pávido segredo
Daquelas sílabas fatais,
Entender o que quis dizer a ave do medo
Grasnando a frase: "Nunca mais."

Assim, posto, devaneando,
Meditando, conjecturando,
Não lhe falava mais; mas, se lhe não falava,
Sentia o olhar que me abrasava,
Conjecturando fui, tranquilo, a gosto,

Com a cabeça no macio encosto,
Onde os raios da lâmpada caiam,
Onde as tranças angelicais
De outra cabeça outrora ali se desparziam,
E agora não se esparzem mais.

Supus então que o ar, mais denso,
Todo se enchia de um incenso.
Obra de serafins que, pelo chão roçando
Do quarto, estavam meneando
Um ligeiro turíbulo invisível;
E eu exclamei então: "Um Deus sensível
Manda repouso à dor que te devora
Destas saudades imortais.
Eia, esquece, eia, olvida essa extinta Lenora."
E o corvo disse: "Nunca mais."

"Profeta, ou o que quer que sejas!
Ave ou demônio que negrejas!
Profeta sempre, escuta: Ou venhas tu do inferno
Onde reside o mal eterno,
Ou simplesmente náufrago escapado
Venhas do temporal que te há lançado
Nesta casa onde o Horror, o Horror profundo
Tem os seus lares triunfais,
Dize-me: "Existe acaso um bálsamo no mundo?"
E o corvo disse: "Nunca mais."

"Profeta, ou o que quer que sejas!
Ave ou demônio que negrejas!
Profeta sempre, escuta, atende, escuta, atende!
Por esse céu que além se estende,
Pelo Deus que ambos adoramos, fala,
Dize a esta alma se é dado inda escutá-la
No Éden celeste a virgem que ela chora
Nestes retiros sepulcrais.
Essa que ora nos céus anjos chamam Lenora!"
E o corvo disse: "Nunca mais."

"Ave ou demônio que negrejas!
Profeta, ou o que quer que sejas!
Cessa, ai, cessa!, clamei, levantando-me, cessa!
Regressa ao temporal, regressa
À tua noite, deixa-me comigo.
Vai-te, não fica no meu casto abrigo
Pluma que lembre essa mentira tua.
Tira-me ao peito essas fatais
Garras que abrindo vão a minha dor já crua."
E o corvo disse: "Nunca mais."

E o corvo aí fica; ei-lo trepado
No branco mármore lavrado
Da antiga Palas; ei-lo imutável, ferrenho.
Parece, ao ver-lhe o duro cenho,
Um demônio sonhando. A luz caída
Do lampião sobre a ave aborrecida
No chão espraia a triste sombra; e fora
Daquelas linhas funerais
Que flutuam no chão, a minha alma que chora
Não sai mais, nunca, nunca mais!

O CORVO

The Raven, 1845

Tradução de Fernando Pessoa, 1924

uma meia-noite agreste, quando eu lia, lento e triste,
Vagos, curiosos tomos de ciências ancestrais,
E já quase adormecia, ouvi o que parecia
O som de alguém que batia levemente a meus umbrais.
"Uma visita", eu me disse, "está batendo a meus umbrais.
É só isto, e nada mais."

Ah, que bem disso me lembro! Era no frio dezembro,
E o fogo, morrendo negro, urdia sombras desiguais.
Como eu qu'ria a madrugada, toda a noite aos livros dada
P'ra esquecer (em vão!) a amada, hoje entre hostes celestiais –
Essa cujo nome sabem as hostes celestiais,
Mas sem nome aqui jamais!

Como, a tremer frio e frouxo, cada reposteiro roxo
Me incutia, urdia estranhos terrores nunca antes tais!
Mas, a mim mesmo infundido força, eu ia repetindo,
"É uma visita pedindo entrada aqui em meus umbrais;
Uma visita tardia pede entrada em meus umbrais.
É só isto, e nada mais."

E, mais forte num instante, já nem tardo ou hesitante,
"Senhor", eu disse, "ou senhora, decerto me desculpais;
Mas eu ia adormecendo, quando viestes batendo,
Tão levemente batendo, batendo por meus umbrais,
Que mal ouvi..." E abri largos, franqueando-os, meus umbrais.
Noite, noite e nada mais.

A treva enorme fitando, fiquei perdido receando,
Dúbio e tais sonhos sonhando que os ninguém sonhou iguais.
Mas a noite era infinita, a paz profunda e maldita,
E a única palavra dita foi um nome cheio de ais -
Eu o disse, o nome dela, e o eco disse aos meus ais.
Isso só e nada mais.

Para dentro então volvendo, toda a alma em mim ardendo,
Não tardou que ouvisse novo som batendo mais e mais.
"Por certo", disse eu, "aquela bulha é na minha janela.
Vamos ver o que está nela, e o que são estes sinais."
Meu coração se distraía pesquisando estes sinais.
"É o vento, e nada mais."

Abri então a vidraça, e eis que, com muita negaça,
Entrou grave e nobre um corvo dos bons tempos ancestrais.
Não fez nenhum cumprimento, não parou nem um momento,
Mas com ar solene e lento pousou sobre os meus umbrais,
Num alvo busto de Atena que há por sobre meus umbrais,
Foi, pousou, e nada mais.

E esta ave estranha e escura fez sorrir minha amargura
Com o solene decoro de seus ares rituais.
"Tens o aspecto tosquiado", disse eu, "mas de nobre e ousado,
Ó velho corvo emigrado lá das trevas infernais!
Dize-me qual o teu nome lá nas trevas infernais."
Disse o corvo, "Nunca mais".

Pasmei de ouvir este raro pássaro falar tão claro,
Inda que pouco sentido tivessem palavras tais.
Mas deve ser concedido que ninguém terá havido

Que uma ave tenha tido pousada nos seus umbrais,
Ave ou bicho sobre o busto que há por sobre seus umbrais,
Com o nome "Nunca mais".

Mas o corvo, sobre o busto, nada mais dissera, augusto,
Que essa frase, qual se nela a alma lhe ficasse em ais.
Nem mais voz nem movimento fez, e eu, em meu pensamento
Perdido, murmurei lento, "Amigos, sonhos – mortais
Todos – todos já se foram. Amanhã também te vais".
Disse o corvo, "Nunca mais".

A alma súbito movida por frase tão bem cabida,
"Por certo", disse eu, "são estas vozes usuais,
Aprendeu-as de algum dono, que a desgraça e o abandono
Seguiram até que o entono da alma se quebrou em ais,
E o bordão de desesp'rança de seu canto cheio de ais."
Era este "Nunca mais".

Mas, fazendo inda a ave escura sorrir a minha amargura,
Sentei-me defronte dela, do alvo busto e meus umbrais;
E, enterrado na cadeira, pensei de muita maneira
Que qu'ria esta ave agoureira dos maus tempos ancestrais,
Esta ave negra e agoureira dos maus tempos ancestrais,
Com aquele "Nunca mais".

Comigo isto discorrendo, mas nem sílaba dizendo
À ave que na minha alma cravava os olhos fatais,
Isto e mais ia cismando, a cabeça reclinando
No veludo onde a luz punha vagas sombras desiguais,
Naquele veludo onde ela, entre as sombras desiguais,
Reclinar-se-á nunca mais!

Fez-se então o ar mais denso, como cheio dum incenso
Que anjos dessem, cujos leves passos soam musicais.
"Maldito!", a mim disse, "deu-te Deus, por anjos concedeu-te
O esquecimento; valeu-te. Toma-o, esquece, com teus ais,
O nome da que não esqueces, e que faz esses teus ais!"
Disse o corvo, "Nunca mais".

"Profeta", disse eu, "profeta – ou demônio ou ave preta!
Fosse diabo ou tempestade quem te trouxe a meus umbrais,
A este luto e este degredo, a esta noite e este segredo,
A esta casa de ânsia e medo, dize a esta alma a quem atrais
Se há um bálsamo longínquo para esta alma a quem atrais!"
Disse o corvo, "Nunca mais".

"Profeta", disse eu, "profeta – ou demônio ou ave preta!
Pelo Deus ante quem ambos somos fracos e mortais.
Dize a esta alma entristecida se no Éden de outra vida
Verá essa hoje perdida entre hostes celestiais,
Essa cujo nome sabem as hostes celestiais!"
Disse o corvo, "Nunca mais".

"Que esse grito nos aparte, ave ou diabo!", eu disse. "Parte!
Torna à noite e à tempestade! Torna às trevas infernais!
Não deixes pena que ateste a mentira que disseste!
Minha solidão me reste! Tira-te de meus umbrais!
Tira o vulto de meu peito e a sombra de meus umbrais!"
Disse o corvo, "Nunca mais".

E o corvo, na noite infinda, está ainda, está ainda
No alvo busto de Atena que há por sobre os meus umbrais.
Seu olhar tem a medonha cor de um demônio que sonha,
E a luz lança-lhe a tristonha sombra no chão há mais e mais,
E a minh'alma dessa sombra que no chão há mais e mais,
Libertar-se-á... nunca mais!

O RETRATO OVAL

Life in Death, 1842

castelo onde o meu criado decidiu entrar à força, não consentindo que eu, ferido como estava, tivesse que passar a noite ao relento, era uma dessas construções, misto de grandeza e de melancolia, que por longo tempo ergueram a sua fronte orgulhosa no meio dos Apeninos, tanto na realidade como na imaginação da Sra. Radcliffe. Segundo toda a aparência, tinha sido abandonado temporariamente, há pouco tempo. Instalamo-nos numa das dependências menos amplas e menos suntuosamente mobiladas, situada numa torre afastada do edifício. A sua decoração era rica, mas antiquada e em ruínas. As paredes, ornamentadas com numerosos troféus heráldicos de todas as formas, eram cobertas de tapeçarias, assim como de uma coleção prodigiosa de pinturas modernas, de grande estilo, em ricas molduras de ouro ao gosto arabesco.

Talvez devido ao meu delírio, tomei grande interesse por esses quadros, suspensos não só nas principais paredes mas também nos inúmeros recantos que a extravagante arquitetura do castelo tornava inevitáveis; de tal modo que mandei Pedro fechar as pesadas portas das janelas do aposento – pois era já noite –, acender um grande candelabro de vários braços, colocado junto da minha cabeceira, e abrir de par em par os reposteiros de veludo preto, guarnecidos de

JEAN-PAUL LAURENS

franjas, que cercavam o leito. Dei estas ordens para que ao menos, no caso de eu não poder dormir, me deleitasse alternadamente com a contemplação dessas pinturas e com a leitura de um pequeno volume que encontrara sobre o travesseiro e que continha a descrição e a análise dos quadros.

Li durante muito tempo; contemplei religiosa e devotamente; as horas consumiam-se, rápidas e gloriosas, e chegou meia-noite. A posição do candelabro não me agradava; por isso, estendendo a mão com dificuldade, para não incomodar o meu criado que repousava, coloquei o objeto de maneira que fizesse incidir os seus raios plenamente sobre o livro.

Mas o efeito produzido foi absolutamente inesperado. Os raios de luz das numerosas velas (porque eram muitas) caíram então sobre um recanto do quarto que até aí uma das colunas do leito mergulhara em sombra densa. Vi à luz viva uma pintura que, a princípio, me tinha passado despercebida. Era o retrato de uma moça já amadurecida, quase mulher. Dirigi ao quadro um olhar rápido e fechei os olhos. Por quê? No princípio eu próprio não soube por que. Mas, enquanto mantinha as pálpebras fechadas, analisei rapidamente a causa que me obrigou a fechá-las assim. Foi um movimento voluntário para ganhar tempo e para pensar – para me certificar de que a vista não me havia enganado, para acalmar e preparar o espírito para uma contemplação mais fria e mais segura. Ao fim de alguns instantes, olhei de novo fixamente para o quadro.

Não podia duvidar, mesmo que quisesse, de que via então com toda a nitidez, pois o primeiro fulgor do candelabro sobre aquela tela tinha dissipado o espanto e o devaneio de que os meus sentidos estavam possuídos, e chamou-me num instante à vida real.

O retrato, como já disse, era o de uma moça. Era simplesmente um busto, com o rosto e os ombros, tudo naquele estilo que se chama, em linguagem técnica, estilo de vinheta. Os braços, o seio e até a extremidade dos cabelos radiantes se fundiam imperceptivelmente na sombra vaga, mas profunda, que dava contraste ao conjunto. A moldura era oval, magnificamente dourada e lavrada em metal, ao gosto mourisco. Como obra de arte, não se podia encontrar nada mais digno de admiração do que a própria pintura. Mas é possível que não fosse nem a execução da obra nem a imortal beleza da fisionomia o que tão de súbito e tão fortemente me impressionou. Ainda menos devo acreditar que a minha imaginação, saída de uma meia sonolência, tivesse tomado o retrato por uma pessoa real. Antes de mais nada compreendi que os detalhes do desenho, o estilo de vinheta e o aspecto da moldura teriam imediatamente dissipado tal sortilégio e me preservariam de qualquer ilusão por momentânea que fosse. Enquanto refletia, conservei-me meio estendido, meio sentado, uma hora inteira talvez, com os olhos pregados naquele retrato. Por fim, depois de ter descoberto o verdadeiro segredo do efeito que ele produzia, deixei-me cair de novo no leito. Descobri que o encanto da pintura residia numa expressão vital absolutamente adequada à própria vida, que a princípio me fizera estremecer e, finalmente, me havia deixado confuso, subjugado e amedrontado. Com profundo e respeitoso terror, tornei a pôr o candelabro na sua posição original. Depois de ter assim furtado aos meus olhos a causa de tão grande perturbação, procurei vivamente o livro que continha a análise dos quadros e a sua história. Indo direto ao número que designava o retrato oval, li o vago e singular relato que se segue:

"Era uma moça de raríssima beleza e não menos gentil que alegre. Maldita foi a hora em que ela viu, amou e se casou com o pintor. Este, apaixonado, estudioso, austero, já tinha se casado com sua arte. E ela, moça de rara beleza e não menos gentil que alegre, toda luz e sorrisos, com o feitio folgazão de uma jovem corça, amando com ternura todas as coisas e odiando apenas a arte que era sua rival, só temia a paleta e os pincéis, e os outros instrumentos que a privavam da presença do seu bem-amado.

Terrível coisa foi para a dama ouvir o pintor exteriorizar o desejo de pintá-la também. Mas ela, humilde e obediente, posou durante longas semanas, na sombria e alta câmara da torre, onde a luz se filtrava unicamente pelo teto e incidia sobre a desmaiada tela. Ele, porém, o pintor, punha toda a sua glória naquela obra, que progredia lentamente. Era um homem apaixonado, estranho, meditabundo, perdido em devaneios; de tal maneira que não percebia como a luz que tão lugubremente caía naquela torre isolada ressequia a saúde e o espírito de sua mulher, que definhava visivelmente para toda a gente menos para ele. E ela sorria sempre, sempre, sem se queixar, pois via que o pintor (de tão grande renome) sentia vivo e ardente prazer na sua tarefa, e trabalhava noite e dia para pintar aquela que tão ternamente amava, mas que se debilitava cada vez mais, dia após dia. E, na verdade, aqueles que contemplavam o retrato falavam em voz baixa da semelhança, como de extrema maravilha, como de uma prova do talento do pintor, não menor que o seu amor profundo por aquela que ele tão miraculosamente pintava.

Um dia, contudo, quando a tarefa estava no fim, ninguém mais foi admitido na torre; o pintor havia enlouquecido com o ardor que punha no seu trabalho e raramente desviava o olhar da tela, mesmo para contemplar o rosto da mulher. Ele não queria ver que as cores que espalhava na tela eram tiradas das faces daquela que estava junto de si. E quando muitas semanas já se tinham passado e muito pouco restava para fazer, nada mais que um retoque na boca e uns laivos nos olhos, o espírito da retratada ainda palpitou como a chama viva de uma lâmpada. Foi então feito o retoque e postos os laivos; e, por momentos, o pintor quedou-se em êxtase diante do trabalho concluído; mas, um minuto depois, ainda a contemplá-lo, ele estremeceu e, tomado de assombro, gritou com voz estrepitosa: 'Mas é a própria vida!' E então, bruscamente, voltou-se para contemplar a sua amada Ela estava morta!"

A MÁSCARA DA MORTE VERMELHA

The Masque of the Red Death, 1842

Havia muito que a "morte vermelha" assolava a região. Jamais houve peste tão fatal ou tão hedionda. O sangue era o seu avatar ou o seu selo, – a vermelhidão e o horror do sangue. Sentiam-se dores agudas, seguidas de um súbito estonteamento, dos poros brotava profusamente o sangue, e, por fim, sobrevinha a morte. As manchas escarlates no corpo, e especialmente no rosto, eram o estigma que baniam a vítima de todo o convívio humano, a isolavam de todo o auxílio e de toda a simpatia dos seus semelhantes. E a doença acometia um desgraçado, torturava-o e matava-o em menos de meia hora.

O Príncipe Próspero, porém, era feliz, intrépido e sagaz. Quando os seus domínios se achavam meio despovoados, chamou para junto de si mil amigos robustos e joviais, escolhidos dentre os fidalgos e damas da sua corte, e com eles se retirou para o remoto remanso de uma das suas abadias acasteladas.

Era um prédio extenso e magnífico, criação do gosto excêntrico, mas majestoso, do Príncipe. Circundava-a uma forte e alta muralha com portões de ferro. Os cortesãos, logo que entraram, serviram-se de forjas e pesados martelos e soldaram os ferrolhos dos portões. Haviam resolvido vedar todos os meios de saída ou de entrada aos impulsos súbitos do desespero ou da loucura. A abadia estava fartamente abastecida. Com tais precauções podiam desafiar o contágio. O mundo exterior que cuidasse de si. No entanto, era loucura sofrer ou cismar. O Príncipe preparou para os seus hóspedes todos os gozos do prazer. Havia bobos, improvisadores, bailarinos, músicos, beleza, vinho. Dentro havia o prazer e a tranquilidade. Fora, havia a "Morte Vermelha".

Foi pelos fins do quinto ou sexto mês da sua reclusão, e enquanto a epidemia lavrava mais furiosamente pelo país, que o Príncipe Próspero mimoseou os seus mil amigos com um baile de máscaras da mais rara magnificência.

Foi um espetáculo voluptuoso aquele baile. Mas antes deixem-me descrever as salas em que se realizou a festa. Eram sete – à moda imperial. Em muitos palácios estas salas são a seguir umas às outras, formando uma perspectiva extensa e retilínea, de modo que de uma pode abranger-se o conjunto de todas as outras. Aqui, porém, o caso era muito diferente, como, aliás, era de esperar do amor do Príncipe por tudo o que fosse fantástico e extravagante. As salas estavam dispostas de uma forma que só dava para se ver pouco mais de uma de cada vez. De vinte em vinte metros, pouco mais ou menos, havia um ângulo muito agudo, e a cada canto que se dobrava descortinava-se um efeito novo.

À direita e à esquerda, ao meio de cada parede, uma janela gótica, alta e estreita, dava para um corredor que seguia a todo o comprimento das salas. Estas janelas eram de vitrais, cuja cor variava consoante o tom predominante nas decorações da sala a que pertencia. A do extremo oriental, por exemplo, era forrada de azul, e azuis eram os vitrais da sua janela. A segunda sala era de púrpura nos seus adornos e nas suas tapeçarias, e a janela era igualmente purpúrea. A terceira era toda verde, e verdes eram os seus vitrais. A quarta era toda cor de laranja, a quinta forrada de veludo negro, que revestia as paredes, do teto ao chão, caindo em pesadas pregas sobre um tapete do mesmo estofo e da mesma cor. Mas só nesta sala é que a cor da janela não correspondia à das decorações. Os vidros eram, aqui, vermelhos, cor de sangue.

Em nenhuma das sete salas havia qualquer espécie de lâmpada ou candelabro, por entre a profusão de ornatos de ouro que se exibiam aqui e ali ou pendiam do teto. Nenhuma espécie de luz de lâmpada ou vela iluminava aquela série de salas. Mas nos corredores que marginavam as salas, em frente a cada janela, erguia-se uma pesada trípode, em que ardia uma grande chama, cujos raios, coando-se através dos vitrais, resplandeciam na sala. Obtinham-se assim efeitos pulquérrimos e fantásticos. Mas na sala do extremo ocidental, a sala negra, o efeito da luz que incidia sobre o veludo negro, através dos vitrais cor de sangue, era sumamente tétrico, e imprimia uma aparência tão estranha às fisionomias de quem lá entrava, que poucas pessoas tinham a coragem de penetrar naquele recinto.

Era também nesta sala que, encostado à parede ocidental, se erguia um gigantesco relógio de ébano. O seu pêndulo oscilava com um som lúgubre, pesado, monótono; e, quando o ponteiro dos minutos completava o circuito do mostrador, e a hora batia, saía dos pulmões de bronze do relógio um som nítido, forte e profundo e extraordinariamente musical, mas de um timbre e de uma ênfase tão singulares, que, a cada hora que batia, os músicos da orquestra eram obrigados a parar, momentaneamente, para escutarem o estranho som; e desse modo quem andava valsando cessava forçosamente as suas evoluções. Todo aquele alegre bulício se retraía e perturbava por uns momentos; e enquanto soavam as badaladas do relógio, notava-se que os mais arrebatados empalideciam, e os mais idosos e calmos passavam as mãos pelas frontes, como se de súbito se abismassem em confusa meditação ou absorto cismar.

De repente uma estridente gargalhada se espalhava pela sala, e os músicos olhavam uns para os outros e sorriam, como se deles próprios, do seu nervosismo e da sua insensatez, sorrissem, e juravam uns aos outros que o badalar seguinte do relógio os deixaria absolutamente indiferentes; mas, passados sessenta minutos (que abrangem três mil e seiscentos segundos do tempo que voa) o relógio batia de novo as suas badaladas sinistras, e produzia-se a mesma estupefação, o mesmo nervosismo e a mesma meditação que anteriormente.

Com tudo isso, a festa decorria alegre e magnífica. Os gostos do Príncipe eram sem igual. Tinha um olho apuradíssimo para cores e efeitos. Desdenhava as meras sugestões da moda. Os seus pianos eram arrojados, vibrantes de estro e de fogo. Havia quem o considerasse doido. Os que mais com ele privavam sentiam que o não era. Era necessário ouvi-lo, vê-lo e tocá-lo para se ter a certeza de que o Príncipe não era doido.

Ele mesmo havia preparado, em grande parte, as decorações das sete salas, por ocasião desta grande festa; e foi o seu gosto que deu caráter aos mascarados. Fiquem certos de que eram grotescos. Havia cintilações, refulgências, mordacidades e fantasmas – muito do que depois se viu no *Hernani*. Havia muita coisa bela, muita coisa frívola, muita coisa extravagante, alguma coisa terrível e não pouco daquilo que poderia suscitar asco ou tédio. Para um lado e para outro, nas sete salas, deambulava uma multidão de *sonhos*. E estes – os sonhos – entravam e saíam, como que torcendo-se, revestindo-se da cor das salas, e fazendo com que a desaustinada música da orquestra parecesse como que o eco dos seus passos.

Soa o relógio de ébano da sala de veludo negro. Por um momento, tudo fica em silêncio, todas as vozes se calam, menos a voz do relógio. Os sonhos estacam, como que gelados, no lugar onde estão. Mas os ecos das badaladas apagam-se prestes – duraram apenas um instante – e uma alegre gargalhada se espalha pelas salas. E de novo voam pelo ambiente as vibrações da música, os sonhos voltam à vida e entram e saem, mexem-se e contorcem-se mais jovialmente do que antes, revestindo-se das cores dos vitrais por onde se coam as fulgurações das trípodes.

Mas na sala que fica mais a oeste, forrada de negro, é que nenhum dos mascarados se abalança agora a penetrar; pois a noite vai já muito alta, e é de um rubro mais carregado a luz que dos vitrais cor de sangue agora cai; o negrume dos estofos aterra; e para aquele que pisa o tapete de veludo negro tem o relógio de ébano uma pancada surda, mais solenemente enfática do que as que ferem os ouvidos daqueles que se comprazem nas mais remotas folganças das outras salas.

As outras salas estavam densamente concorridas e nelas palpitava febrilmente o coração da vida. A orgia prosseguia delirantemente como o redemoinho de um turbilhão, até que o relógio começou a bater compassadamente à meia-noite. Parou a música, como acima disse; cessaram os rodopios das valsas; extinguiram-se todos os ruídos; houve, como das outras vezes, uma inquieta paralisação de tudo.

Eram doze as badaladas que o relógio devia vibrar; e, assim, aconteceu que, sendo mais largo o lapso de tempo, mais demoradas e profundas foram, decerto, as meditações em que se abismaram os que festejavam. E, foi por isso, talvez, que, antes de se apagarem os ecos da última badalada, muitas pessoas da turba foliona tiveram ensejo de dar pela presença de um mascarado que até aí a atenção de ninguém atraíra. E, como logo de boca em boca se divulgasse a surpreendente nova, de toda a assistência se ergueu um zunzum, um murmúrio expressivo de repúdio e surpresa – e, por fim, de pasmo, de horror e de asco.

Numa assembleia de fantasmas como aquela que descrevi, é lícito supor que nenhuma aparição banal daria causa a tamanha excitação. Na verdade, quase não tinha limites a liberdade de que, naquela noite, fruía cada mascarado; não havia peias que detivessem a fantasia de cada um; mas o mascarado em questão excedera tudo o que se poderia conceber e transpusera mesmo as indefinidas barreiras do decoro do Príncipe. Há cordas nos corações dos mais afoitos que se não podem desferir sem emoção. Mesmo para os homens absolutamente perdidos, para quem a vida e a morte são igualmente gracejos, há coisas com que se não pode brincar.

Todos pareciam sentir profundamente que no trajo e no porte do intruso nem havia espírito nem propriedade. Era alto e magro e embrulhava-se, da cabeça aos pés, numa mortalha funerária. A máscara que lhe ocultava a cara tinha as feições rígidas de um cadáver, imitadas com tal perfeição, que o mais atento exame teria dificuldade em perceber o logro. E, todavia, tudo isto podia ter sido admitido, se não aprovado, pelos loucos foliões que se aglomeravam nas salas. O mascarado, porém, levara o seu atrevimento até o ponto de assumir a forma e o tipo da *morte vermelha!* A mortalha que o envolvia estava salpicada de sangue – e a sua ampla fronte, tal qual como a cara, estava toda pintada com o horror escarlate.

Quando os olhos do Príncipe Próspero deram com esta figura espectral (que com um movimento lento e solene, como que para mais realce dar ao seu papel, passeava por entre os valsantes), acometeu-o, de súbito, um violento tremor convulso, de terror ou de enfado; mas, passado um momento, as faces se coraram de raiva.

– Quem ousa? – perguntou, em voz rouca, aos cortesãos que o rodeavam. – Quem ousa insultar-nos com esta blasfema zombaria? Agarrem-no e desmascarem-no, para nós sabermos quem havemos de enforcar, ao raiar do dia, nas ameias do palácio!

Estava o Príncipe Próspero na sala azul ao proferir estas palavras. Elas ressoaram pelas sete salas em voz vibrante e nítida – pois o Príncipe era audaz e robusto, e a música calara-se a um aceno da sua mão.

O Príncipe achava-se, como disse, na sala azul, rodeado por um grupo de pálidos cortesãos. A princípio, quando ele falou, os presentes fizeram uma leve menção de se atirarem ao intruso, que, nesse momento, se achava muito perto e agora, com passo resoluto e firme, se aproximara mais do Príncipe.

Mas, por uma espécie de terror inominado que as macabras atitudes do mascarado infundiram em todos os circunstantes, não houve um só que se atrevesse a lançar-lhe a mão; de modo que pôde, à sua vontade, passar a menos de um metro da pessoa do Príncipe; e, enquanto todos, obedecendo a um só impulso, recuavam para junto das paredes, ele seguia ininterruptamente o seu caminho, com o mesmo passo solene e cadenciado que desde o princípio o distinguira: passou da sala azul para a purpúrea; da purpúrea para a verde;. da verde para a cor de laranja; desta para a branca; e desta para a roxa, sem que o mínimo gesto o detivesse.

Foi então que o Príncipe Próspero, louco de cólera e de vergonha da sua momentânea covardia, se precipitou em desabalada correria através das seis salas; nenhum dos seus amigos o seguiu, em virtude do terror mortal que deles todos se apoderara. Brandia no ar um punhal, e havia chegado, no ímpeto da perseguição, até cerca de um metro do fugitivo quando este, havendo atingido o extremo da sala de veludo negro, parou de repente e fez frente ao seu perseguidor.

Soou um grito agudo, – e o punhal caiu, cintilando, no tapete negro, sobre o qual, um instante depois, tombava, prostrado de morte, o Príncipe Próspero...

Então, atiçados pela desvairada coragem do desespero, os cortesãos irromperam em tropel pela sala negra, e, agarrando o mascarado, cujo alto vulto se detivera, ereto e imóvel, na sombra do relógio de ébano, arquejaram de inexprimível horror ao verificarem que, por baixo da lúgubre mortalha e da macabra máscara que seguravam com violenta sanha, nenhuma forma tangível se encontrava!...

Reconheceu-se então a presença da morte vermelha. Entrou de noite, como um ladrão. E um a um, todos os foliões caíram mortos nas salas, orvalhadas de sangue, onde tumultuara a sua orgia. E a vida do relógio de ébano terminou quando o último exalou o seu suspiro derradeiro. Apagaram-se as chamas das trípodes. E as trevas, as ruínas e a morte vermelha firmaram sobre tudo o seu domínio ilimitado.

UM MANUSCRITO ENCONTRADO NUMA GARRAFA

Manuscript Found in a Bottle, 1833

Da minha pátria e da minha família tenho pouco que dizer. O meu mau procedimento e o decorrer dos anos tornaram-me estranho a ambas. Graças ao meu patrimônio, tive o benefício de uma educação pouco comum, e a inclinação do meu espírito para a contemplação deu-me possibilidades de classificar metodicamente todo esse material instrutivo pelo estudo intenso acumulado.

As obras dos filósofos alemães, sobretudo, causaram-me deleite, não por admiração pela sua eloquente loucura, mas pelo prazer que, por virtude dos meus hábitos de rigorosa análise, percebia suas falsidades.

Por numerosas vezes, censuraram-me pelo gênio azedo e pela falta de imaginação. O ceticismo das minhas opiniões tornou-me célebre.

Na verdade, temo que uma forte inclinação para a filosofia da física tenha impregnado o meu espírito de um dos defeitos mais comuns deste século, ou seja, o costume de relacionar com os princípios desta ciência as circunstâncias menos suscetíveis de semelhante relação.

Este preâmbulo é oportuno, perante o receio de que o incrível relato que vou fazer seja considerado como o frenesi de uma imaginação desvairada e não como a experiência positiva de um homem para o qual não existiram nunca as lucubrações imaginativas.

Passados muitos anos sem proveito numa longa e longínqua viagem, embarquei no ano 18 em Batávia, na seca e populosa ilha de Java, para dar um passeio pelo arquipélago das ilhas de Sonda.

Viajei como simples passageiro, visto que não me impelia outro incentivo além da minha instabilidade nervosa, sempre tentadora como um mau espírito.

Construído em Bombaim, o navio tinha aproximadamente 400 toneladas e ia carregado de algodão, lã e óleo das ilhas Laquedivas. Além de outro carregamento: açúcar de palma, cocos e algumas caixas de ópio. Durante alguns dias, permanecemos ao largo da costa oriental de Java, sem outro incidente que cortasse a monotonia da viagem além do aparecimento de algumas ilhotas.

Certa tarde, apoiado à borda do tombadilho, vi uma singularíssima nuvem isolada no lado noroeste do céu. Distinguia-se não só pela sua cor como por ser a primeira que tínhamos visto desde a partida de Batávia. Observei-a atentamente até o pôr do sol. Ela estendeu-se de leste para oeste, marcando no horizonte uma linha nítida de vapor que parecia um troço de costa muito baixa.

De repente, a minha atenção foi desviada pelo aspecto vermelho-escuro da lua e pela estranha fisionomia do mar. Este último havia sofrido uma rápida transformação; a água parecia mais transparente que de costume e distinguia-se claramente o fundo. Não obstante isso, ao lançar a sonda, verificamos que estávamos a uma altura de quinze braças.

O ar ficou intoleravelmente cálido e estava carregado de exalações semelhantes às que emanam do ferro incandescente. Com a noite, a brisa amainou completamente e fomos envolvidos por uma calma absoluta. A chama de uma vela, que ardia na popa, estava sem o menor movimento e um cabelo suspenso entre o indicador e o polegar não oscilava.

Assim sendo, como o capitão dizia que não havia nenhuma ameaça de perigo, e como derivávamos para terra, ficamos tranquilos. Colheram-se as velas e lançou-se a âncora. Não se pôs vigia de quarto e a tripulação, composta principalmente de malaios, deitou-se sobre a ponte.

No entanto, fui para o meu camarote com alguma inquietação, porque tinha o pressentimento de uma desgraça. Todos aqueles sintomas faziam prever um ciclone, mas, ao comentar com o capitão, este encolheu os ombros e ignorou a minha preocupação.

Como não conseguia dormir, à meia-noite subi para a cobertura. Ao pôr o pé sobre o último degrau, fiquei assustado com um rumor profundo, semelhante ao que produz a rotação rápida de uma roda de moinho. Antes que pudesse averiguar a causa, senti o navio ser sacudido violentamente. Um golpe de mar derrubou-o de lado e, passando por cima de nós, varreu o navio de popa à proa.

A própria fúria do vento contribuiu para o salvar, embora tenha mergulhado quase por completo na água. Como os seus mastaréus ficaram livres, tornou a levantar-se lentamente, balançou por um instante sobre a enorme pressão da tempestade, e por fim voltou à antiga posição.

Milagre: escapei da morte! Atordoado pelo violento choque da água, encontrei-me, ao voltar a mim, entre o cadaste e o timão. Consegui, com muito esforço, levantar-me e, ao olhar à minha volta, imaginei que estávamos no meio da rebentação do mar contra os escolhos, tão terrível era o redemoinho em que nos encontrávamos.

Logo depois, ouvi a voz de um velho sueco que tinha embarcado minutos antes de o navio deixar o porto. Chamei-o aos gritos e, cambaleando, dirigiu-se para mim.

Então, descobrimos que éramos os únicos sobreviventes do desastre. Tudo o que estava sobre a cobertura, exceto nós, tinha ido pela borda fora. O capitão e os marinheiros morreram durante o sono, porque os seus camarotes foram inundados.

Sozinhos, nada podíamos fazer para salvar o navio. Pior que isso: tínhamos a certeza de que iríamos morrer de um momento para o outro. Éramos acossados pelo furacão e a água precipitava-se de todos os lados. Apesar disso, verificamos que as bombas funcionavam e que o carregamento não tinha sofrido muito.

No período de cinco dias e cinco noites inteiras, em que vivemos de alguns pedaços de açúcar de palma, o barco continuou a sua correria com incalculável rapidez, impelido pelas correntes de ar que se sucediam assustadoramente e que, sem igualar o primeiro ímpeto do tufão, eram bem mais terríveis que as de qualquer outra tempestade conhecida.

Nos primeiros dias, a nossa rota, salvo ligeiras variações, foi a do sudoeste, em direção às costas da Nova Holanda.

No quinto dia o frio aumentou, embora o vento viesse do norte. O sol ergueu-se com um resplendor amarelento e doentio, sem projetar uma luz clara. Não se via nenhuma nuvem, mas o vento esfriava e soprava furioso. Perto do meio-dia, o aspecto do sol chamou a nossa atenção. Realmente, não desferia verdadeira luminosidade, e, sim, uma espécie de fulgor sombrio e triste, sem reflexos, como se todos os seus raios estivessem polarizados. Antes de mergulhar no mar, o seu clarão central desapareceu repentinamente, como se um poder inexplicável o tivesse apagado de súbito. Não era mais que uma rosa pálida e prateada quando se precipitou no oceano insondável.

Em vão, esperamos a chegada do sexto dia. Este dia ainda não chegou para mim; para o sueco não chegou nunca.

A partir desse momento ficamos sepultados em trevas muito espessas e não distinguíamos um objeto a vinte passos do navio. Envolvia-nos uma noite eterna que não era sequer aliviada pelo resplendor fosfórico do mar, ao qual estávamos acostumados nos trópicos. Observamos igualmente que, apesar da tempestade continuar, raivosa e enfurecida, já não sentíamos nenhuma ressaca nem a marola que nos acompanhavam e sacudiam dias antes.

O horror tomou conta de nós. Só havia a escuridão impenetrável e o negro deserto de ébano. Pouco a pouco, ia-se infiltrando no espírito do velho sueco um terror supersticioso e a minha alma mergulhava em muda estupefação.

Desistimos de reparar e cuidar do barco. Em vez disso, abraçados ao mastro, passeávamos os nossos olhares amargamente sobre a imensidão oceânica. Não tínhamos os meios para calcular o tempo e não podíamos fazer a mais pequena conjetura sobre a nossa situação. Estávamos certos, contudo, de ter ido muito mais para o sul que nenhum dos anteriores navegantes e surpreendia-nos não encontrar o natural obstáculo do gelo. Cada minuto nos parecia ser o último da nossa existência e cada onda nos parecia a derradeira que veríamos. Realmente, só por milagre escapamos de ser engolidos pelo mar em fúria.

Enquanto o meu companheiro falava da leveza do carregamento e recordava as excelentes qualidades do navio, eu já tinha renunciado de antemão à vida. Aliás, preparava-me melancolicamente para a morte, que nada poderia deter mais de uma hora, porque a cada novo avanço do barco aquele mar negro e prodigioso adquiria um aspecto mais lúgubre e fatal.

Algumas vezes, a uma altura maior que a do albatroz, mal conseguíamos respirar. Outras vezes descíamos vertiginosamente ao fundo de um inferno líquido, onde não parecia existir ar nem som. Estávamos no fundo de um desses abismos quando um súbito grito do meu companheiro rasgou sinistramente a noite:

– Olhe, olhe! – exclamou ao meu ouvido. – Deus onipotente!

Uma luz vermelha, com um brilho sombrio e triste, flutuava e lançava sobre o barco um reflexo vacilante.

Levantei o olhar e presenciei um espetáculo que me gelou o sangue nas veias. A uma altura tremenda, justamente por cima de nós, e sobre a própria crista do precipício, passava um barco gigantesco, talvez de 4.000 toneladas.

Embora empoleirado no alto de uma onda cem vezes mais alta do que ele, parecia de dimensões muito maiores do que as de qualquer outro barco de linha ou da Companhia das Índias. O seu enorme casco, pintado de um negro carregado, não era aligeirado por nenhum dos ornamentos próprios dos navios. Uma simples fileira de canhões devolvia, refletida pela sua superfície polida, a luz de numerosos faróis de combate que se balançavam nos seus mastros. Mas o que mais nos assombrou foi o fato de navegar com as velas desfraldadas no meio daquele mar sobrenatural e tempestuoso.

Durante um momento – de profundo terror – vacilou no alto do abismo, depois estremeceu, inclinou-se e, por fim, deslizou pela vertente abaixo.

Confesso que nem sei como consegui conservar o sangue-frio para dominar o pavor. Recuei o mais que pude e aguardei impávido a catástrofe que devia esmagar-nos. A nossa embarcação já não lutava com o mar e mergulhava de proa, lentamente.

Dessa forma, o enorme e misterioso navio chocou com a parte do nosso que estava já debaixo de água. Consequentemente, fui arremessado para o cordame da sua mastreação. Quando caí, o navio teve um momento de quietação, depois virou rapidamente.

Essa natural confusão fez com que a minha presença passasse despercebida. Não tive muito trabalho para escapar, sem ser visto, pela escotilha principal, e pude esconder-me no canto mais obscuro e afastado da calheta. Não sei dizer como nem porque o fiz. O que me levou a isso foi um vago sentimento de terror que se apoderou do meu espírito perante o aspecto da sua tripulação.

Não me lembro de nenhuma raça que apresentasse aquelas características de indefinível raridade e que pudesse produzir tantas razões de dúvida e de desconfiança.

Ao ouvir um ruído de passos, me encolhi todo. Um homem passou diante do meu esconderijo. Não podia ver o seu rosto, mas pude observar o seu aspecto geral. Tinha toda a aparência de um ser débil e caduco. Os joelhos sentiam o peso dos anos e um tremor constante sacudia-lhe o corpo. Falava consigo mesmo, com voz débil e entrecortada, em palavras de um idioma incompreensível, enquanto revolvia um canto onde se empilhavam instrumentos de formas estranhas e cartas de navegação deterioradas. Os seus gestos e atitudes eram uma mistura singular da fraqueza de uma segunda infância e da dignidade solene de um deus. Ao fim de certo tempo voltou para a cobertura e já o não vi mais.

Minha alma teve um sentimento indescritível, uma sensação impenetrável à análise que não tem tradução nos dicionários conhecidos e cuja significação receio muito que não venha a encontrar-se no futuro.

Para um espírito constituído como o meu, esta última consideração era um verdadeiro suplício. Tenho o pressentimento de que não poderei revelar nunca o verdadeiro significado das minhas ideias. Elas devem permanecer indefiníveis, visto que brotam de fontes absolutamente inéditas. Um novo sentimento, uma nova identidade incorporou-se na minha alma.

Há muito tempo que pisei pela primeira vez na cobertura deste navio e os raios do destino concentram-se cada vez mais.

Que gente incompreensível! Passam a meu lado sem me ver, embebidos em meditações cuja natureza não posso adivinhar. Seria loucura minha esconder-me deles, porque eles não podem ver-me. Há pouco passei em frente do imediato e, antes disso, aventurei-me a ir até o próprio camarote do capitão, onde arranjei o que precisava para escrever o que antecede e o que se seguirá.

Pretendo escrever este relato de vez em quando. É certo que não terei forma nem ocasião de o transmitir ao mundo, mas, pelo menos, tentarei. E, em último caso, enfiarei o manuscrito numa garrafa e o lançarei ao mar.

***

Recentemente, fiz muitas observações sobre a estrutura do barco. Embora bem armado, não creio que se trate de um navio de guerra. A sua mastreação e a sua tripulação derrubam esta ideia. Sei exatamente o que não é, mas seria impossível dizer o que é. Ao examinar a forma estranha e singular deste navio e as suas colossais proporções, a prodigiosa quantidade de velas que tem, a sua proa severamente simples e a sua popa de um estilo exagerado, creio que a percepção de coisas não completamente desconhecidas atravessa o meu espírito como um relâmpago, misturando-se sempre a estas sombras flutuantes da memória uma inexplicável recordação das velhas lendas estrangeiras de séculos antiquíssimos.

***

Examinei detalhadamente todo o madeiramento do barco. É feito de materiais desconhecidos para mim e parecem-me impróprios para o uso a que foram destinados. Visto que é de extrema porosidade, independentemente do desgaste natural resultante de uma longa navegação por estes mares, e da podridão da velhice. Talvez considerem demasiado sutil a observação que vou fazer: mas dá-me a impressão de ser feito de madeira muito semelhante ao carvalho espanhol, se o carvalho espanhol pudesse ser dilatado por processos artificiais.

Ao reler a frase anterior, lembro-me do curioso dito de um velho lobo do mar holandês:

"É possível" – dizia, sempre que duvidavam do que dizia –, "como é possível que há um mar onde os barcos engordam como os corpos vivos dos marinheiros."

***

Há aproximadamente uma hora tive a audácia de entrar no meio de um grupo de indivíduos da tripulação. Não repararam em mim e, embora permanecesse no meio deles, parecia não terem o mínimo conhecimento da minha presença.

Tal como seu companheiro que vi pela primeira vez na calheta, todos eles tinham o aspecto de uma grande decrepitude. Os seus joelhos tremiam de debilidade, a velhice curvava as suas costas, a pele enrugada tremia com o vento, a voz era surda e sacudida, os olhos estavam molhados de lágrimas senis e os cabelos grisalhos pareciam fugir com a tempestade.

Em volta deles jaziam espalhados instrumentos matemáticos de formas antiquíssimas e de emprego fora de uso.

***

O navio, com todas as velas desfraldadas, corria em direção ao sul, sacudido e abanado pelo mais terrível inferno líquido que um cérebro humano possa conceber. Abandonei a cobertura por não poder permanecer nela; a tripulação, no entanto, não demonstra sofrer qualquer abalo.

Parece-me o milagre dos milagres que o mar não nos tenha engolido de uma vez para sempre. Estamos condenados, sem dúvida, a bordejar indefinidamente a eternidade, sem nunca mergulharmos no abismo. Deslizamos como aves marinhas sobre ondas mil vezes mais altas e temíveis que qualquer onda conhecida. Outras ondas colossais levantam a sua crista por cima de nós, como demônios que não pudessem passar de simples ameaças e aos quais fosse proibido destruir-nos.

Acabei por atribuir essa boa sorte perpétua à única causa natural que pode explicar semelhante efeito: o navio ser mantido por alguma forte corrente ou por redemoinhos submarinos.

***

Frente a frente, vi o capitão. Ele estava no seu próprio camarote, mas, como eu supunha, não me prestou a menor atenção. Embora nada haja nele de superior ou inferior a qualquer homem, o assombro que senti na sua presença era impregnado de respeito e de terror supersticioso. Tem mais ou menos a minha estatura; é bem proporcionado e de aspecto robusto, mas a sua constituição não revela um vigor extraordinário.

O que é verdadeiramente singular é a expressão do seu rosto, a intensa, terrível e sugestiva aparência de velhice, tão completa, tão absoluta, que cria no meu espírito um sentimento inefável à medida que vou olhando para ele. A sua fronte, embora pouco enrugada, parece ter mil anos. Os seus cabelos grisalhos guardam o passado e os seus olhos, mais cinzentos ainda, como que profetizam o futuro.

O chão do seu camarote está juncado de estranhos volumes infólio com cantoneiras de ferro, de instrumentos científicos desusados e de antigos mapas de uma forma completamente esquecida.

Tinha a cabeça apoiada sobre as mãos, e o seu olhar ardente e inquieto devorava um pergaminho com a assinatura e os selos reais.

Falava consigo mesmo, como aquele marinheiro que vi pela primeira vez na calheta, e murmurava em voz baixa algumas sílabas de uma língua estranha. Embora estivesse muito perto dele, parecia-me que a sua voz chegava aos meus ouvidos vinda de uma milha de distância.

***

O barco e o seu recheio estão impregnados do espírito de outras épocas. Os homens da tripulação deslizam como sombras dos séculos sepultados. Nos seus olhos vive a inquietação dos pensamentos ardentes. E quando, ao cruzarem comigo, as suas mãos são iluminadas pela luz lívida dos fanais, sinto qualquer coisa que nunca senti, embora a minha vida esteja cheia da loucura das antiguidades, embora me tenha banhado na sombra das colunas arrumadas de Balbek, de Tadmor e de Persépolis, de tal forma que a minha alma acabou por ser uma ruína.

***

Ao olhar à minha volta, envergonho-me dos antigos terrores. Se a tempestade até agora me fez estremecer de horror, que sensações e que palavras, para a exprimir, necessitaria agora em face da batalha do vento e do oceano, uma batalha para a qual os conceitos vulgares de tornado e simum são triviais e inúteis?

O barco ficou literalmente mergulhado nas trevas de uma noite eterna, num caos de água sem espuma, mas a distâncias circulares de uma légua, aproximadamente, podemos avistar bem distintamente e de vez em quando prodigiosas superfícies de gelo que sobem para o céu desolado como se fossem as muralhas do universo.

***

Como eu havia previsto, o navio está indubitavelmente numa corrente, se se pode chamar assim àquilo que vai rugindo e uivando através das brancuras glaciais, e que produz no lado sul um ruído estrondoso mil vezes mais forte que o de uma catarata caindo verticalmente.

***

É impossível imaginar o horror das minhas sensações. No entanto, a curiosidade de desvendar o mistério desta terrível região é mais forte do que o terror, e até me reconcilia com a odiosa fisionomia da morte. Não há dúvida de que nos precipitamos à busca de um segredo incomunicável, cujo conhecimento só se consegue à custa da vida. Talvez esta corrente nos conduza ao próprio polo. Por muito estranha que seja esta suposição, é preciso acreditar nela.

A tripulação passeia sobre o convés, inquieta e trêmula. Todos os rostos têm uma expressão nova, mais parecida com o ardor da esperança do que com a apatia do desespero.

Como temos todas as velas desfraldadas, e o vento nos empurra, há momentos em que o navio salta fora do mar.

De súbito – horror dos horrores! – o gelo que nos cerca abre-se repentinamente, à direita e à esquerda, e damos voltas vertiginosas em imensos círculos concêntricos em redor das bordas gigantescas de um enorme anfiteatro, cujos muros se prolongam para além das trevas e do espaço.

Mas já não me resta tempo para sonhar o meu destino. Os círculos apertam-se rapidamente e mergulhamos no abraço, cada vez mais cingido, do turbilhão. E, através do mugido horrível do oceano e da tempestade, o navio estremece e – oh Deus! – afunda-se!

OS CRIMES DA RUA MORGUE

The Murders in the Rue Morgue, 1841

As caraterísticas mentais geralmente denominadas analíticas são, em si mesmas, pouco suscetíveis a uma análise. Geralmente apreciamos apenas por causa de seus resultados. Sabemos, entre outras coisas, que elas são para quem as possui em alto grau uma enorme fonte de prazer. Tal como o homem forte se regozija das suas capacidades físicas, deliciando-se com os exercícios que põem os seus músculos em ação, assim também o analista se glorifica com aquela atividade intelectual cuja função é discernir. Encontra prazer até mesmo nas ocupações mais triviais que põem seu talento em jogo. Ama os enigmas, os paradoxos e os hieróglifo. Na solução de cada mistério, demonstra um grau de perspicácia que parece sobrenatural às pessoas de compreensão mais simples. Seus resultados, ainda que obtidos através da própria alma e essência do método, apresentam, de fato, todo o aspecto da intuição.

A capacidade de resolução de problemas possivelmente é muito fortalecida pelo estudo das matemáticas, especialmente pelo mais elevado de seus ramos, o qual, injustamente, apenas em função de suas operações de revisão dos fatos, vem sendo chamado de análise, como se fosse somente isso. Todavia, calcular não é o mesmo que analisar.

Um enxadrista, por exemplo, calcula sempre, sem se esforçar por efetuar análises. Segue-se que o jogo de xadrez, em seus efeitos sobre o caráter mental, não é devidamente apreciado. Não me disponho agora a escrever um tratado, mas estou simplesmente prefaciando uma narrativa um tanto peculiar através de observações bastante casuais.

Aproveitarei a ocasião, portanto, para afirmar que os poderes mais altos do intelecto reflexivo são exercitados de forma mais decidida e mais útil através do humilde jogo de damas do que pela frivolidade elaborada do xadrez. Neste último, em que as peças têm movimentos diferentes e bizarros, com valores os mais diversos e variados, aquilo que é somente complexo provoca o engano (um erro bastante comum) de parecer profundo. O que entra principalmente no jogo é a atenção. Se falhar por um momento, o jogador se distrai e comete um erro para seu prejuízo ou derrota final. Uma vez que os movimentos possíveis não somente são numerosos como diversificados, a possibilidade de ocorrência de tais distrações é multiplicada. Nove entre dez casos tem como vencedor não o jogador mais inteligente, mas sim o mais concentrado. No jogo de damas, ao contrário, em que os movimentos são sempre os mesmos e existe pouca variação, as probabilidades de um movimento inadvertido são diminuídas e a mera atenção fica relativamente fora do jogo, as vantagens obtidas por qualquer um dos parceiros são conseguidas através de maior perspicácia.

Para sermos menos abstratos, vamos supor um jogo em que as peças sejam reduzidas a quatro damas e no qual, naturalmente, não se espere qualquer distração. É evidente que a vitória não pode ser decidida senão por hábil tática resultante de qualquer esforço poderoso do intelecto, já que as duas partes são iguais. Privado de recursos vulgares, o analítico perscruta o espírito do seu adversário, identifica-se com ele e muitas vezes descobre num relance o único meio, um meio algumas vezes absurdamente simples de induzi-lo a um erro ou de precipitá-lo num falso cálculo.

O jogo de whist vem sendo notado há muito tempo pela influência que exerce sobre o que é denominado o poder de cálculo. Homens inteligentes aparentemente sentem um prazer inexplicável nesta diversão e desprezam o xadrez por sua frivolidade. Não há dúvida que nenhum jogo de natureza semelhante exige tanto da faculdade de análise. O melhor jogador de xadrez da cristandade pode não ser nada mais que o melhor enxadrista; porém a habilidade no whist implica uma capacidade de sucesso em todos os empreendimentos mais importantes nos quais uma mente disputa com outra. Quando me refiro à habilidade, indico aquela perfeição no exercício do jogo que inclui um entendimento de todas as fontes de que uma vantagem legítima pode ser derivada. Estas são não apenas múltiplas como multiformes, e frequentemente se encontram em recessos da mente totalmente inacessíveis para a compreensão das pessoas comuns. Observar atentamente significa lembrar distintamente; deste modo, o enxadrista concentrado vai se dar muito bem no whist; ao mesmo tempo que as regras de Hoyle (que se baseiam no próprio mecanismo do jogo) são em geral suficientemente compreensíveis.

Assim, a uma memória retentiva e a capacidade de proceder segundo a razão são as qualidades geralmente consideradas suficientes para ser um bom jogador. Mas é nas questões que vão além dos limites impostos pelas regras que se evidencia a habilidade do analista. Em silêncio, ele realiza uma série de observações e faz deduções. Talvez seus companheiros façam o mesmo. A diferença na quantidade de informações que assim são obtidas não se baseia tanto na validade das deduções ou na qualidade da observação. O conhecimento necessário é o que deve ser observado.

O jogador hábil não estabelece limites para si próprio. Nem ao menos, considerando que o jogo é o objetivo, ele rejeita deduções a partir de coisas totalmente externas ao jogo. Examina a fisionomia de seu parceiro de dupla e a compara cuidadosamente com os rostos de cada um de seus oponentes. Ele considera o modo de classificar as cartas em cada mão; muitas vezes conta trunfo a trunfo e figura por figura, através dos olhares lançados pelos portadores uns sobre os outros. Percebe cada variação na expressão dos semblantes à medida que o jogo se desenrola, reunindo um tesouro de pensamentos a partir das diferenças de expressão de certeza, de surpresa, de triunfo ou de derrota. A partir da maneira como é vencida uma partida, ele julga se a pessoa vencedora pode ganhar outra em seguida ou não. Reconhece o que é jogado para iludir o adversário através do jeito com que a carta é jogada sobre a mesa. Uma palavra casual ou inadvertida; a queda acidental ou a virada de uma carta, com a ansiedade ou indiferença associada à sua ocultação; a contagem das vazas, na ordem de seu aparecimento; o embaraço, a hesitação, a ansiedade ou a trepidação – tudo fornece à sua percepção aparentemente intuitiva indicações do verdadeiro estado do jogo. Depois que as duas ou três primeiras mãos foram jogadas, ele está em pleno controle do valor das cartas que cada jogador possui e, a partir daí, descarta as suas com uma precisão de propósito tão absoluta como se o resto dos participantes estivesse jogando a descoberto.

A capacidade de análise não deve ser confundida com o simples engenho. Isto porque, enquanto o analista é forçosamente engenhoso, muitas vezes o homem engenhoso é absolutamente incapaz de analisar. A capacidade de combinar, ou construtividade, que os frenologistas consideram um órgão à parte, supondo que ela seja uma faculdade primordial, apareceu em seres cuja inteligência era limítrofe da idiotice, bastantes vezes para atrair a atenção geral dos escritores. Entre o engenho e a aptidão analítica há uma diferença muito maior do que entre o imaginativo e a imaginação, mas de um caráter rigorosamente análogo. Em suma, percebemos que o homem engenhoso está sempre cheio de imaginação e que o homem imaginativo não passa de um analítico. A narrativa que se segue será para o leitor um comentário elucidativo das proposições que acabei de expor.

Quando residi em Paris durante a primavera e parte do verão do ano 18, conheci o Sr. C. Auguste Dupin. O jovem cavalheiro pertencia a uma excelente, de fato, ilustre família, porém, através de uma série de eventos inesperados, havia sido reduzido a uma tal pobreza que a energia de seu caráter sucumbiu perante ela e desistiu de enfrentar o mundo ou preocupar-se em recuperar sua fortuna. Por cortesia de seus credores, permanecia em sua posse uma pequena parte de seu patrimônio. Com esta renda e mantendo rigorosa economia, ele conseguia obter as necessidades básicas da vida, sem se preocupar com supérfluos. De fato, os livros eram seu único luxo, e em Paris, é fácil consegui-los.

Nosso primeiro encontro foi em uma biblioteca obscura na rua Montmartre, em que a coincidência de que ambos estávamos em busca do mesmo livro raro e notável fez com que entrássemos em contato e percebêssemos uma comunhão de interesses mais íntima. Nos encontramos vezes sem conta. Eu estava profundamente interessado na pequena história de sua família que ele me detalhava com toda aquela ingenuidade que um francês demonstra quando o assunto é ele mesmo ou alguma coisa de seu interesse pessoal. Fiquei espantadíssimo, também, com a vasta extensão de suas leituras. Minha alma foi despertada pelo fervor ardente e originalidade de sua imaginação.

Estando em Paris a fim de realizar certos objetivos que não vêm ao caso expor, senti que a proximidade de um homem assim seria um tesouro inestimável, e confiei-lhe esta impressão com toda a franqueza. Finalmente, decidimos morar na mesma casa enquanto durasse minha permanência naquela cidade. E, como os meus negócios eram um pouco menos complicados do que os dele, encarreguei-me de alugar e de mobilar, num estilo apropriado à melancolia de nossas personalidades, uma casinha antiga e estranha, situada numa rua solitária de Saint-Germain. Nos desdenhamos de superstições, bem como do motivo que a teria deixado abandonada quase que em ruínas.

Se a rotina de nossa vida neste lugar fosse conhecida do mundo, teríamos sido encarados como dois loucos, ainda que talvez nos considerassem como dois loucos mansos. Nossa reclusão era perfeita. Não recebíamos nenhum visitante. De fato, a localização de nosso retiro tinha sido mantida cuidadosamente em segredo de meus antigos amigos e associados. E Dupin tinha cessado de ter relações de amizade ou mesmo de ser conhecido em Paris há muitos anos. Existíamos somente para nós mesmos.

O meu amigo tinha um humor estranho. Como definir? Amava a noite, pelo amor à noite. Era a sua paixão, e eu mesmo participava tranquilamente dessa mania e de outras que ele tinha, deixando-me levar ao sabor de todas as suas estranhas originalidades.

A negra divindade não poderia morar sempre conosco, mas fechávamos as pesadas persianas da nossa casinha, acendíamos duas velas muito perfumadas que não davam senão uma luz muito fraca e muito pálida. Apenas com esta débil claridade a nossa alma entregava-se aos nossos sonhos: líamos, escrevíamos ou falávamos, até que o relógio nos anunciava a verdadeira escuridão. Procurávamos pelas ruas abraçados, continuando a conversa do dia, caminhando ao acaso até uma hora tardia. Então, procurávamos, através das luzes desordenadas e das trevas da populosa cidade, essas inumeráveis excitações espirituais que o estudo calmo não pode proporcionar.

Nestas circunstâncias, eu reparava na aptidão analítica particular de Dupin. Parecia sentir um prazer amargo em exercê-la e talvez mesmo em expô-la, e confessava sem cerimônia o prazer que sentia com isso. Dizia-me, com um sorrisinho muito aberto, que muitos homens tinham para ele uma janela fechada em vez do coração, e habitualmente acompanhava uma asserção semelhante de provas imediatas e das mais surpreendentes, tiradas de um conhecimento profundo da minha própria pessoa. Nesses momentos, os seus modos eram frios e distantes. Os olhos fixavam o vácuo e a sua voz, uma bela voz de tenor, se elevava, como de costume, uma oitava, com petulância, sem a absoluta deliberação do seu falar e a certeza absoluta da acentuação. Observava-lhe os passos e sonhava muitas vezes com a velha filosofia de desdobramento da alma. Divertia-me a ideia de um Dupin duplo: um criador e um analista. Não imaginem, depois do que acabo de contar, que vou desvendar um grande mistério ou escrever um romance. O que observei neste francês singular, era simplesmente o resultado de uma inteligência superexcitada, talvez doentia. Mas um exemplo dará uma melhor ideia da natureza das suas observações na época a que me refiro.

Uma noite, estávamos passeando por uma rua comprida e suja, nas proximidades do Palais Royal. Estando ambos, aparentemente, imersos em pensamentos, nenhum de nós tinha proferido uma sílaba por, no mínimo, quinze minutos. Repentinamente, Dupin proferiu estas palavras:

– Ele é um camarada muito baixinho, é verdade: serviria bem melhor para o Théâtre des Variétés.

– Não resta dúvida – respondi distraidamente, sem observar a princípio (por encontrar-me profundamente absorvido em reflexões) a maneira extraordinária com que meu interlocutor tinha entrado justamente no espírito de minha meditação.

No instante seguinte, percebi o que havia acontecido e meu espanto foi profundo.

– Dupin – disse eu, gravemente –, isto vai além de minha compreensão. Não hesito em dizer que estou assombrado e dificilmente posso acreditar na evidência de meus sentidos. Como foi possível que você soubesse que eu estava pensando em...? – fiz uma pausa neste ponto, como para me convencer além de toda dúvida de que ele realmente sabia em quem eu estivera pensando.

–Em Chantilly, naturalmente – disse ele. – Por que fez uma pausa? Você estava observando para si próprio que sua figura diminuta não era adequada para papéis trágicos.

Fora precisamente este o assunto de minhas reflexões. Chantilly tinha sido um sapateiro remendão da rua Saint-Denis que pegou a febre do palco e fora tentado a representar o papel de Xerxes, na tragédia de mesmo nome, de Crébillon, tendo sido notoriamente satirizado por seus esforços através de panfletos anônimos.

– Explique-me, por amor de Deus, o método, se é que houve um método, por meio do qual você foi capaz de ler meus pensamentos dessa forma. – eu disse.

De fato, eu estava muito mais impressionado do que me dispunha a admitir.

– Foi o vendedor de frutas que o levou à conclusão de que o sapateiro-remendão não tinha altura suficiente para o papel de Xerxes. – explicou.

– O vendedor de frutas! Agora mesmo não entendi nada! Não conheço nenhum fruteiro!

– O homem que veio correndo em sua direção quando entramos nesta rua, deve ter sido há uns quinze minutos.

Lembrei-me então que, de fato, um vendedor de frutas, carregando na cabeça um grande cesto cheio de maçãs, quase tinha me derrubado por acidente, quando dobramos da rua C para a avenida em que estávamos agora; mas não havia a menor possibilidade de associar esse fato a meus pensamentos sobre Chantilly.

– Eu vou explicar – disse ele. – Para que você possa compreender mais claramente, vamos primeiro retraçar o curso de suas meditações, desde o momento em que eu lhe falei até nosso rencontro com o quitandeiro que acabei de mencionar. Os elos maiores da cadeia são os seguintes; Chantilly, Órion, Dr. Nichols, Epicuro, estereotomia, os paralelepípedos da rua e o vendedor de frutas.

Há poucas pessoas que não tenham, em determinado período de suas vidas, se divertido a tentar retraçar as etapas através das quais conclusões particulares de suas próprias mentes possam ter sido atingidas. Essa ocupação muitas vezes é cheia de interesse; e aquele que tenta realizá-la pela primeira vez pode ficar assombrado pela distância aparentemente ilimitada e incoerente entre o ponto de partida e o objetivo alcançado. Imagine-se então meu pasmo, minha estupefação ao escutar o francês emitir aquelas sentenças que recém havia pronunciado, especialmente depois que não pude deixar de reconhecer que havia falado a verdade, ponto por ponto. Ele continuou:

– Estávamos falando sobre cavalos, se me lembro corretamente, um instante antes de dobrarmos a esquina da rua C__. Foi este o último assunto que discutimos. No momento em que entramos nessa rua, um quitandeiro, com um cesto grande na cabeça, passando rapidamente por nós, empurrou-o sobre uma pilha de paralelepípedos colocada junto ao ponto em que o pavimento está sendo consertado. Você pisou em uma das pedras soltas, escorregou, distendeu levemente o tornozelo, ficou incomodado e de mau humor por alguns instantes, resmungou umas poucas palavras, voltou-se para olhar a pilha e então prosseguiu em completo silêncio. Eu não estava prestando atenção em especial ao que você fazia, porém a observação vem se tornando para mim, nos últimos anos, uma espécie de necessidade, como se fosse uma segunda natureza. Bem, você continuou com os olhos fincados no chão – olhando, com uma expressão aborrecida, para os buracos e valas do pavimento (foi assim que eu percebi que ainda estava pensando nas pedras), até que chegamos àquela viela chamada Lamartine, que foi pavimentada, como uma experiência, com aqueles blocos que se superpõem e são rebitados uns aos outros. Aqui seu rosto se iluminou; e percebendo um certo movimento em seus lábios, não pude duvidar de que tenha pronunciado a palavra "estereotomia", um termo que estão aplicando muito afetadamente a essa espécie de pavimento. Nesse mesmo momento, eu soube que você não poderia ter dito a si próprio "estereotomia", sem ser levado a pensar na "atomia" e assim nas teorias de Epicuro. Uma vez que, ao discutirmos este assunto há relativamente pouco tempo, eu lhe mencionei que de forma singular, embora não estivesse despertando muita atenção, as adivinhações vagas daquele nobre grego estavam sendo agora confirmadas pela recente cosmogonia nebular, proposta pelo Dr. Nichols, senti que você não poderia evitar de erguer os olhos para a grande nebulosa de Órion, e fiquei esperando que você fizesse isso. De fato, você olhou; e agora eu tinha plena certeza de que tinha seguido corretamente seus passos. Porém, naquela amarga crítica feita a Chantilly, que apareceu no Musée de ontem, o satirista fez algumas alusões desgraciosas à mudança de nome do sapateiro, depois que colocou os coturnos de um ator de tragédias e citou um verso em latim sobre o qual conversamos com frequência. Refiro-me à linha: *Perdidit anliquum littera prima sonum* (As antigas letras perderam seu primeiro som.) Eu já lhe havia dito que esta citação referia-se a Órion, porque antigamente era escrito Úrion; devido à questão que debatemos em torno desta explicação, tinha certeza de que você não teria podido esquecê-la. Estava claro, portanto, que você não poderia deixar de combinar as ideias de Órion e Chantilly. Que você realmente as combinou, eu percebi pelo sorriso que passou por seus lábios. Você estava pensando na imolação do pobre sapateiro. Até aquele momento, você estava andando meio cabisbaixo; mas, nesse momento, esticou-se de modo a mostrar sua plena estatura. Tive então certeza de que estava refletindo sobre a figura minúscula de Chantilly. Foi nesse ponto que interrompi suas meditações para observar que, de fato, ele era um sujeito muito pequeno, quero dizer, Chantilly – e que ele teria muito mais sucesso no *Théâtre des Variétés*.

Pouco tempo depois dessa observação do meu amigo, estávamos olhando uma edição vespertina da *Gazette des Tribunaux*, quando os seguintes parágrafos atraíram nossa atenção:

"Duplo assassinato

Esta madrugada, por volta das três horas da manhã, os habitantes do Quartier St.Roch foram acordados do sono por uma sucessão de gritos terríveis que partiam, aparentemente, do quarto andar de uma casa na rua Morgue, onde as únicas moradoras conhecidas eram uma certa Madame L'Espanaye e sua filha, Mademoiselle Camille L'Espanaye. Depois de algum atraso, ocasionado pela tentativa infrutífera de obter admissão da maneira usual, o portão de entrada foi rebentado com um pé-de-cabra e oito ou dez dos vizinhos entraram, acompanhados por dois policiais. A essa altura, os gritos já haviam cessado; porém, enquanto o grupo corria pelo primeiro lance de escadas, duas ou mais vozes grosseiras, aparentemente discutindo furiosamente pareceram sair da parte superior da casa. Quando o grupo chegou ao segundo andar, também estes sons haviam cessado e tudo permanecia em perfeito silêncio. As pessoas se espalharam e correram de cômodo em cômodo. Ao chegarem a um amplo quarto na parte dos fundos do quarto andar (cuja porta foi forçada, porque estava trancada com a chave do lado de dentro), apresentou um espetáculo que encheu a todos os presentes não tanto de horror como de estupefação.

O apartamento estava na mais completa desordem – o mobiliário quebrado e os pedaços jogados em todas as direções. Quase no centro do quarto havia um estrado de cama, mas o colchão foi tirado de cima dele e jogado no meio do assoalho do aposento. Sobre uma cadeira, havia uma navalha manchada de sangue. Na lareira havia duas ou três mechas longas e espessas de cabelo humano grisalho, também cobertas de sangue, que pareciam ter sido arrancadas pela raiz. Em diversos locais do assoalho foram encontrados quatro napoleões, um brinco de topázio, três colheres grandes de prata, três colheres menores de métal d'Alger e duas bolsas, contendo quase quatro mil francos em ouro. As gavetas de uma cômoda, ainda colocada em um dos cantos da sala, estavam abertas e tinham sido aparentemente revistadas, embora muitos artigos de vestuário ainda permanecessem dentro delas. Um pequeno cofre de ferro foi descoberto no chão, embaixo da cama (não embaixo do estrado), no lugar aonde esta tinha sido atirada. Estava aberto, com a chave ainda na porta. Continha apenas algumas cartas velhas e outros papéis de pouca importância.

Não foi encontrado sinal de Madame L'Espan aye; mas tendo sido observada uma quantidade de fuligem na lareira, a chaminé foi pesquisada, e o cadáver da filha (coisa horrível de se relatar!), de cabeça para baixo, foi puxado dali. Tinha si do empurrado para cima, através da abertura estreita da chaminé, por uma distância considerável. O corpo ainda estava bastante quente. Quando foi examinado, encontraram muitas escoriações, sem dúvida ocasionadas pela violência com que foi empurrado chaminé acima e pelo esforço necessário para retirá-lo. No rosto, foram achados muitos arranhões fundos, e no pescoço, hematomas escuros, com sinais profundos de unhas, indicando que a defunta tinha sido estrangulada.

Após uma investigação completa de cada porção da casa, sem novas descobertas, o grupo entrou em um pequeno pátio calçado, que fica na parte de trás do edifício, onde jazia o corpo da velha senhora, com a garganta cortada a tal ponto que, ao tentarem erguer o cadáver, a cabeça caiu no chão. Tanto o corpo como a cabeça estavam terrivelmente mutilados; o primeiro a um ponto que mal retinha qualquer semelhança com um corpo humano.

Para este horrível mistério não existe ainda, segundo acreditamos, a menor pista."

O jornal do dia seguinte trazia os seguintes detalhes adicionais:

"A tragédia da rua Morgue. Muitos indivíduos foram interrogados com relação a este caso tão extraordinário e assustador, mas ainda nada sucedeu que pudesse lançar alguma luz sobre ele. Transcrevemos abaixo todos os testemunhos obtidos.

Pauline Dubourg, lavadeira, depôs que conhece ambas as falecidas há três anos, período em que lavou suas roupas. A velha senhora e sua filha pareciam manter muito boas relações e serem muito afeiçoadas uma à outra. Pagavam com regularidade. Não podia dizer qual era sua renda ou meio de sustento. Achava que Madame L'Espanaye ganhava a vida como cartomante. Segundo diziam, tinha dinheiro guardado. Nunca encontrou qualquer pessoa de fora quando ia buscar as roupas para lavar ou as trazia de volta à casa. Tinha certeza de que não tinham empregadas. Parece que não havia mobília em qualquer parte do edifício, exceto no quarto andar.

Pierre Moreau, vendedor de cigarros e de fumo, depõe que habitualmente vendia pequenas quantidades de tabaco e de rapé a Madame L'Espa naye e que a atendia há uns quatro anos. Tinha nascido no bairro e sempre residira por lá. A falecida e sua filha moravam há mais de seis anos na casa em que os cadáveres tinham sido encontrados. Anteriormente, fora ocupada por um joalheiro, que sublocava os andares superiores para várias pessoas. A casa era de propriedade de Madame L'Espanaye. Ela ficou descontente com a maneira como o imóvel era maltratado pelo seu inquilino e mudou-se para lá, recusando-se a alugar quaisquer aposentos. A velha senhora tinha um comportamento meio infantil. A testemunha tinha avistado a filha umas cinco ou seis vezes no decorrer daqueles seis anos. As duas viviam uma vida muito retraída – o povo dizia que tinham dinheiro. Também tinha ouvido alguns dos vizinhos comentarem que Madame L'Espanaye lia o futuro das pessoas – mas não acreditava nisso. Mesmo porque nunca tinha visto ninguém entrar na casa, exceto a velha senhora e sua filha, um carregador uma vez ou duas e um médico, umas oito ou dez vezes.

Muitas outras pessoas, na maioria vizinhos, apresentaram evidências no mesmo sentido. Não se falou de ninguém que frequentasse a casa. Não se sabia se Madame L'Espanaye e sua filha tinham parentes vivos. As venezianas das janelas da frente raramente eram abertas. As venezianas dos fundos permaneciam sempre fechados, com a exceção daqueles de uma grande sala do quarto andar. A casa era boa e sólida – não era muito antiga.

Isidore Musèt, policial, depõe que foi chamado à casa por volta das três da manhã e encontrou umas vinte ou trinta pessoas diante do portão, esforçando-se para entrar. Finalmente forçou a porta com uma baioneta – não foi com um pé-de-cabra. Teve pouca dificuldade para abrir, porque era um portão de duas folhas e não estava trancado nem em cima nem embaixo. Os gritos continuavam enquanto o portão estava sendo arrombado – mas cessaram subitamente. Pareciam os gritos de uma pessoa (ou pessoas) em grande agonia – eram altos e prolongados, não eram curtos e rápidos. A testemunha subiu as escadas à frente de todos. Quando chegou ao primeiro andar, escutou duas vozes discutindo alta e furiosamente – uma das vozes era rouca e zangada, a outra muito mais aguda – uma voz muito estranha. Conseguiu distinguir algumas das palavras emitidas pela primeira voz, que era de um francês. Tinha certeza de que não era uma voz de mulher. Tinha distinguido as palavras sacré e diable. A voz mais aguda era de um estrangeiro. Não tinha certeza se era uma voz de homem ou de mulher. Não havia entendido nada do que dissera, mas acreditava que falava em espanhol. O estado do apartamento e dos corpos foi descrito pela testemunha conforme relatamos ontem.

Henri Duval, um vizinho, fabricante de objetos de prata, depõe que participava do primeiro grupo que entrou na casa. Em geral, corrobora o testemunho de

Musèt. Logo depois que forçaram a porta, fecharam-na por dentro, para impedir a entrada da multidão, que se reuniu muito depressa, não obstante o adiantado da hora. A voz aguda, segundo pensa esta testemunha, era de um italiano. Tem certeza de que não era de um francês. Não tinha certeza se era voz de homem. Poderia ser de mulher. A testemunha não sabia falar a língua italiana. Não pôde distinguir as palavras, mas pela entonação estava convencido de que a pessoa falava em italiano. Conhecera Mada me L'Espanaye e sua filha. Tinha conversado muitas vezes com ambas. Tinha certeza de que a voz aguda não pertencia a nenhuma das falecidas.

_____ Odenheimer, proprietário de um restaurante. Ele apresentou-se voluntariamente para testemunhar. Como não falava francês, foi ouvido por meio de um intérprete. É nascida em Amsterdã. Estava passando pela casa por ocasião dos gritos. Duraram por vários minutos – provavelmente dez. Eram longos e altos, muito terríveis e apavorantes. Foi um dos que entrou no edifício. Corroborou a evidência prévia em todos os respeitos, exceto um. Tem certeza de que a voz mais aguda era de um homem e que este era francês. Não conseguiu entender as palavras proferidas. Eram altas e rápidas, desiguais, emitidas aparentemente tanto com medo quanto com raiva. A voz era áspera, muito mais áspera do que aguda. Não poderia realmente classificá-la como aguda. A voz mais grossa disse repetidamente sacré, diable e uma única vez, mon Dieu.

Jules Mignaud, banqueiro, da firma Mignaud et Fils, sediada na rua Deloraine. É o sócio mais velho da firma. Madame L'Espanaye tinha algumas propriedades. Tinha aberto uma conta em sua casa bancária na primavera do ano de **** (oito anos antes). Fazia frequentes depósitos de pequenas somas. Nunca havia sacado nada até o terceiro dia antes de sua morte, quando retirou pessoalmente a soma de 4.000 francos. Esta soma foi paga em moedas de ouro e um funcionário a acompanhou até em casa com o dinheiro.

Adolphe Le Bon, contador da firma Mignaud et Fils, depõe que, no dia em questão, por volta do meio-dia, acompanhou Madame L'Espanaye até sua residência com os 4.000 francos guardados em duas bolsas. Assim que a porta foi aberta, Mademoiselle L'Espanaye apareceu e tomou de suas mãos uma das bolsas, enquanto a velha senhora segurava a outra. Ele então cumprimentou-as com uma mesura e saiu. Não viu nenhuma pessoa na rua nessa ocasião. É uma rua lateral, solitária e muito pouco trafegada.

William Bird, alfaiate, depõe que era uma das pessoas que entraram na casa. É de nacionalidade inglesa. Mora em Paris há dois anos. Foi um dos primeiros a subir as escadas. Escutou as vozes em discussão. A voz grave e zangada era de um francês. Entendeu várias palavras, mas não lembra mais de todas. Escutou distintamente sacré e mon Dieu. Por um momento, escutou um som que parecia o de várias pessoas lutando, como se o chão estivesse sendo arranhado e pisoteado. A voz aguda era muito alta, bem mais alta que a voz grave. Tem certeza de que não era a voz de um inglês. Parecia mais ser a voz de um alemão. Poderia ser uma voz de mulher. A testemunha não fala alemão.

Quatro das testemunhas acima, tendo sido reconvocadas, depuseram que a porta do quarto em que foi encontrado o corpo de Mademoiselle L'Espanaye estava trancada por dentro quando o grupo chegou até lá. Tudo se encontrava em perfeito silêncio – não havia gemidos, nem ruídos de qualquer tipo. Ao forçarem a porta, não viram ninguém. As janelas, tanto da sala da frente como do quarto dos fundos, estavam com as venezianas fechadas e firmemente trancadas por dentro. Uma porta entre os dois cômodos estava fechada, porém não trancada. A porta que dava da sala da frente para o corredor de acesso estava trancada, com a chave do lado de dentro. Um pequeno cômodo na parte da frente da casa, no quarto andar e junto às escadas, estava aberto, com a porta escancarada. Esse cômodo estava lotado de camas velhas, caixas e coisas assim. Todos os objetos foram cuidadosamente removidos e examinados. Não houve uma polegada em qualquer lugar da casa que não fosse objeto de uma pesquisa cuidadosa. Limpa-chaminés foram utilizados para limpar as chaminés. A casa tinha quatro andares, com águas-furtadas. Um alçapão no forro tinha sido pregado com toda a segurança; não dava a impressão de ter sido aberto durante anos. O tempo decorrido entre o som das vozes discutindo e o arrombamento da porta da sala foi declarado de maneiras variadas pelas testemunhas. Algumas pessoas afirmaram que se passaram uns três minutos, outros chegaram a cinco. A porta foi aberta com muita dificuldade.

Alfonzo Garcio, agente funerário, depõe que reside na rua Morgue. É de naturalidade espanhola. Pertencia ao grupo que entrou na casa. Mas não subiu escadas acima. É um homem nervoso e estava apreensivo com relação às possíveis consequências da agitação. Escutou as vozes discutindo. A voz mais grave era de alguém falando em francês. Não pôde compreender o que estava sendo dito. A voz aguda pertencia a alguém falando em inglês. Neste ponto, tem certeza absoluta. Não fala o idioma inglês, mas julga pela entonação.

Alberto Montani, confeiteiro, depõe que se achava entre os primeiros que subiram as escadas. Escutou as vozes mencionadas. A voz grave e violenta falava em francês. Conseguiu perceber diversas palavras. A pessoa que falava parecia estar repreendendo. Não conseguiu entender as palavras proferidas pela voz aguda. Falava rápido e de maneira confusa. Mas acha que as palavras eram em russo. Corrobora o testemunho geral. É italiano. Nunca conversou com um natural da Rússia.

Diversas testemunhas, ao serem reconvocadas, testemunharam que as chaminés de todas as peças do quarto andar eram estreitas demais para admitir a passagem de um ser humano. Por "limpa-chaminés" queriam dizer escovas cilíndricas de limpeza, do tipo que são empregadas por aqueles que limpam chaminés para retirar o acúmulo de fuligem. Estes escovões foram passados para cima e para baixo de cada saída de lareira e de cada cano de ventilação existente na casa. Não existe uma porta dos fundos pela qual alguém pudesse haver descido enquanto os salvadores subiam as escadas. O corpo de Mademoiselle L'Espanaye estava tão firmemente entalado na chaminé que não pôde ser descido até que cinco ou seis pessoas unissem suas forças para puxá-lo.

Paul Dumas, médico, depõe que foi chamado para examinar os corpos mais ou menos quando o dia clareava. Nessa ocasião, ambos estavam deitados sobre a cobertura de estopa do estrado da cama, no mesmo quarto em que Mademoiselle L'Espanaye fora encontrada. O cadáver da jovem estava muito machucado e arranhado. O fato de ter sido empurrado chaminé acima poderia perfeitamente causar essa aparência. A garganta estava muito machucada. Havia diversos arranhões profundos logo abaixo do queixo, juntamente com uma série de marcas lívidas que eram, evidentemente, as impressões deixadas por dedos. O rosto estava arroxeado de uma forma apavorante e os olhos saltavam das órbitas. A língua tinha sido parcialmente mordida. Um grande hematoma foi descoberto sobre o estômago, produzido, aparentemente, pela pressão de um joelho. Na opinião de M. Dumas, Mademoiselle L'Espanaye tinha sido estrangulada até morrer por uma pessoa ou pessoas desconhecidas. O cadáver da mãe estava horrivelmente mutilado. Todos os ossos da perna e do braço direitos estavam mais ou menos esmagados. A tíbia esquerda tinha sido partida em mais de um lugar, do mesmo modo que todas as costelas do lado esquerdo. O corpo inteiro estava terrivelmente marcado e arroxeado. Não era possível afirmar como os ferimentos haviam sido causados. Um porrete pesado de madeira ou uma barra larga de ferro, uma cadeira, qualquer arma grande, pesada e contundente teria produzido tais resultados, se fosse brandida pelas mãos de um homem muito robusto. Nenhuma mulher poderia ter desferido aquele tipo de golpe com qualquer arma. A cabeça da falecida, quando foi vista pela testemunha, estava inteiramente separada do corpo e os ossos também se achavam em grande parte esmagados. A garganta havia sido evidentemente cortada com algum instrumento muito afiado – provavelmente uma navalha.

Alexandre Etienne, cirurgião, foi convocado com M. Dumas para examinar os corpos. Corroborou o testemunho e as opiniões de M. Dumas.

Nada mais de importância foi descoberto, embora diversas outras pessoas fossem interrogadas. Um assassinato tão misterioso e intrigante em todos os seus detalhes jamais foi cometido antes em Paris, se é que realmente houve um assassinato. A polícia está inteiramente confusa, uma ocorrência pouco comum em casos desta natureza. Não há, entretanto, a sombra de uma pista."

A edição vespertina do jornal declarava que a maior excitação ainda perdurava no Quartier St.-Roch, que os aposentos do prédio tinham sido novamente examinados e novos exames das testemunhas realizados, tudo sem o menor resultado. Um pós-escrito, entretanto, mencionava que Adolphe Le Bon tinha sido preso e encarcerado, embora nada parecesse incriminá-lo, além dos fatos que já foram detalhados.

Dupin pareceu-me singularmente interessado no progresso das investigações, ou pelo menos foi o que julguei a partir de suas ações, porque não fez o menor comentário. Foi somente depois que a prisão de Le Bon foi anunciada que ele pediu minha opinião sobre os assassinatos.

Eu somente podia concordar com toda Paris ao considerá-los um mistério insolúvel. Não via maneira através da qual fosse possível identificar o assassino.

– Não podemos julgar os meios – disse Dupin – a partir de um exame tão superficial. A polícia parisiense, que é tão exaltada por sua argúcia, é esperta, mas nada mais do que isto. Não existe método em seus procedimentos, além do método sugerido pela inspiração do momento. Desfilam uma série de medidas tomadas a fim de satisfazer ao público. Mas muitas vezes estão mal-adaptadas ao objetivo proposto. Os resultados que eles obtêm não deixam de surpreender com uma certa frequência, mas na maior parte são obtidos por simples diligência e grande atividade. Quando faltam estas atividades, seus esquemas falham. Vidocq, por exemplo,além de saber adivinhar, era um homem perseverante. Porém, desprovido de um pensamento educado, ele errava continuamente pela própria intensidade de suas investigações. Prejudicava a própria visão por segurar os objetos perto demais. Podia ver assim, quem sabe, um ou dois pontos com clareza extraordinária, mas seu procedimento o levava necessariamente a perder a visão do conjunto. Porque existe uma coisa que podemos chamar de excesso de profundidade. A verdade não se encontra sempre no fundo de um poço. De fato, no que se refere aos conhecimentos mais importantes, acredito que seja invariavelmente superficial. A profundidade acha-se nos vales em que a buscamos e não no topo das montanhas, onde a verdade é encontrada. Os modos e fontes deste tipo de erro são bem tipificados pela contemplação dos corpos celestiais. Olhar uma estrela de relance, observá-la pelo canto dos olhos, voltando para ela as porções laterais da retina (mais suscetível às fracas sensações luminosas que a parte central) significa percebê-la distintamente – é assim que apreciamos melhor o seu brilho – um brilho que vai se enfraquecendo na proporção em que voltamos a visão diretamente sobre ele. De fato, um número maior de raios cai sobre o olho neste último caso, porém, no anterior, existe a capacidade de compreensão mais refinada.. Uma profundidade exagerada enfraquece o pensamento e torna-o inseguro;

e é possível fazer desaparecer do firmamento a própria Vênus devido a uma atenção demasiado mantida, muito concentrada e muito direta.

Quanto a este assassínio, vamos fazer um exame antes de formar uma opinião. Uma investigação provocará um entretenimento (achei esta palavra estranha aplicada ao caso em questão, mas não digo nada); e, além disso, Lebon prestou-me um serviço e não posso mostrar-me ingrato. Iremos aos lugares, para examinar com os nossos próprios olhos. Eu conheço G..., o chefe de polícia, e obtivemos sem dificuldade a necessária autorização.

Depois, fomos direto à rua Morgue. É uma dessas miseráveis passagens que ligam a rua Richelieu à rua de Saint-Roch. Fomos da parte da tarde, e chegamos em uma hora bastante avançada, porque este bairro está situado a uma grande distância de onde residimos.

Encontramos logo a casa, porque havia uma imensidade de pessoas que a contemplavam do outro lado da rua, com uma curiosidade doentia. Era uma casa como todas as de Paris, com um portal largo, e num dos lados um nicho quadrado, envidraçado, com uma armação móvel que representa a cabine do porteiro.

Antes de entrarmos subimos a rua, viramos numa alameda e passamos pelas traseiras da casa. Dupin, entretanto, examinava os arredores, bem como a própria casa, com uma minuciosa atenção cujo objetivo eu não podia adivinhar.

Voltamos para a frente; tocamos, apresentamos a nossa identidade e os polícias permitiram a entrada. Subimos até ao quarto onde tinham encontrado o corpo da menina L'Espanaye e onde permaneciam ainda os dois cadáveres. A desordem do quarto tinha sido respeitada como é costume fazer-se em semelhantes casos. Não vi nada mais do que tinha constado na Gazette des Tribunaux. Dupin analisou minuciosamente tudo, sem excetuar os corpos das vítimas.

Entramos em seguida nos outros quartos e descemos para os pátios, sempre acompanhados por um policial.

Este exame durou muito tempo e era noite quando nos retiramos. Ao regressar à nossa casa, o meu amigo parou por alguns instantes no escritório de um jornal. Disse que o meu amigo tinha todas as espécies de excentricidades e que eu as respeitava. Desta vez deu para se recusar a qualquer conversa referente ao assassinato, até ao meio-dia do dia seguinte.

Foi então que ele me perguntou bruscamente se eu tinha notado alguma coisa de "particular" no local do crime. Ele deu uma entonação especial ao pronunciar essa palavra, o que me fez arrepiar sem que eu soubesse por que.

– Não, nada de particular – respondi. – Nada mais, pelo menos, do que ambos lemos no jornal.

– A Gazette – prosseguiu – não penetrou no horror insólito deste caso. Mas deixemos por aqui as opiniões idiotas deste jornal. Parece-me que o mistério é considerado como insolúvel, pela mesma razão que deveria fazê-lo encarar como de fácil solução, e quero falar do caráter excessivo sob o qual ele aparece. Os polícias estão confusos também pela ausência aparente de motivos legitimando não o assassinato em si, mas a atrocidade do assassino. Estão embaraçados também pela impossibilidade aparente em conciliar as vozes que altercavam com o fato de não encontrar no alto da escada outra pessoa senão a menina L'Espanaye, assassinada, e que não tinha nenhuma forma de sair sem ser vista pelas pessoas que subiam a escada. A estranha desordem do quarto, o corpo introduzido com a cabeça para baixo na chaminé, a medonha mutilação do corpo da senhora idosa – estas considerações juntas às que mencionei e às outras das quais não tenho necessidade de falar, bastam para paralisar a ação dos agentes do ministério e para derrotar completamente a sua perspicácia tão elogiada. Eles cometeram a enorme e muito comum falta de confundir o extraordinário com o absurdo. Mas é justamente ao seguir estes desvios do curso vulgar da natureza que a razão encontrará o seu caminho, se a coisa é possível e se está encaminhada para a verdade. Nas investigações do gênero da que nos preocupa não é preciso perguntar como as coisas se passaram, mas sim estudar por que é que elas se distinguem de tudo o que aconteceu até ao presente. A faculdade pela qual chegarei à solução do mistério, está na razão direta da sua insolubilidade aparente aos olhos da polícia.

Fixei Dupin com um espanto mudo.

– Espero agora – continuou ele, dirigindo os olhos para a porta do nosso quarto – um indivíduo, que, se bem que não seja talvez o autor desta carnificina, deve encontrar-se em parte implicado na sua perpetração. E provável que esteja inocente da parte atroz do crime. Espero não me enganar nesta hipótese, porque é baseado nesta hipótese que espero decifrar todo o enigma. Aguardo aqui o homem – neste quarto – de um momento para o outro. É verdade que pode muito bem não vir, mas há algumas possibilidades de que venha. Se vier, será necessário vigiá-lo. Estão aqui as pistolas e ambos sabemos para que é que elas servem quando a ocasião o exige.

Peguei nas pistolas sem saber muito bem o que fazia, mal podendo acreditar no que ouvia, enquanto Dupin continuava mais ou menos num monólogo. Já falei da sua maneira abstrata nesses momentos. O seu discurso dirigia-se a mim; mas a sua voz, se bem que regulada por um diapasão muito vulgar, tinha essa entoação que se dá habilmente ao falar a alguém colocado a uma grande distância. Os seus olhos tinham uma expressão vaga, não deixavam de fixar a parede.

– As vozes que discutiam – dizia ele – as que se ouviam quando as pessoas subiam a escada não eram as dessas infelizes mulheres. Isso é uma prova bem evidente. Isto leva-nos a abandonar a hipótese de que a senhora de idade teria assassinado a filha e se teria suicidado em seguida.

– Não falo do caso senão por amor ao método, porque a força da senhora L'Espanaye era absolutamente insuficiente para introduzir o corpo da filha na chaminé, da maneira como a descobriram; e a natureza dos ferimentos encontrados na sua própria pessoa exclui por completo a ideia de suicídio. Portanto, o assassínio foi cometido por terceiros, e as vozes deles eram as que se ouviram a questionar. – disse ele.

– Permita-me agora chamar a sua atenção – não sobre os depoimentos relativos a essas vozes – mas sobre o que havia de "particular" nestas. – observou.

E meu amigo continuou:

– Reparei que, enquanto todas as testemunhas concordavam em considerar a voz grossa como sendo a de um francês, havia um grande desacordo em relação à voz aguda, ou, como definira um só indivíduo, à voz áspera.

– Isso constitui a evidência – disse Dupin – mas não a particularidade da evidência. Não reparou em nada de especial; no entanto, havia "qualquer coisa" para observar. As testemunhas, repare bem, estão de acordo sobre a voz grossa, são unânimes nisso. Mas, relativamente à voz aguda, há uma particularidade – não consiste no seu desacordo – mas nisto, pois que um italiano, um inglês, um espanhol, um holandês, tentam descrevê-la; cada um fala como de uma voz de "estrangeiro", cada qual está seguro de que não era a de um compatriota.

– Cada um compara-a, não com a voz de um indivíduo cujo idioma lhe seria familiar, mas justamente ao contrário. O francês presume que era a voz de um espanhol e poderia distinguir algumas palavras se ele estivesse familiarizado com o espanhol. O holandês afirma que era a voz de um francês; mas está estabelecido que a testemunha, não sabendo o francês, foi interrogada por meio de um intérprete. O inglês pensa que era a voz de um alemão, e ele não compreende o alemão. O espanhol está absolutamente certo de que era a voz de um inglês, mas julga apenas pela pronúncia, porque não tem nenhum conhecimento de inglês. O italiano crê que é a voz de um russo, mas nunca conversou com uma pessoa da Rússia. – lembrou Dupin.

– Um outro francês, no entanto, difere do primeiro e está certo de que era a voz de um italiano; mas não tendo conhecimento desta língua faz como o espanhol, certifica-se pela pronúncia. Ora esta voz era, portanto, bem insólita e bem estranha, para que se não possa a seu respeito ter testemunhos semelhantes? Uma voz cuja entonação alguns cidadãos de cinco partes da Europa não puderam identificar. Poderia ser talvez a voz de um asiático ou de um africano. Os africanos e os asiáticos não abundam em Paris; mas, sem negar a possibilidade do caso, chamaria simplesmente a sua atenção sobre três pontos. – observou ainda.

– Uma testemunha descreve a voz assim: "Mais áspera do que aguda." Duas outras falam como de uma voz "rápida e sacudida". Estas testemunhas não distinguem nenhuma palavra – nenhum som que se pareça com palavras.

– Não sei – continuou Dupin – que impressão possa fazer sobre o seu raciocínio, mas não hesito em afirmar que se podem tirar deduções legítimas em relação às duas vozes. A voz grossa e a voz aguda são suficientes em si para levantar uma dúvida que indicaria o caminho em toda esta investigação ulterior do mistério.

Eu disse: "deduções legítimas", mas esta expressão não exprime completamente o meu pensamento. Eu queria que compreendesse que estas deduções são as únicas convenientes e que esta dúvida surgiu inevitavelmente disso como o único resultado possível. No entanto, não lhe direi imediatamente de que natureza era esta dúvida. Desejava simplesmente demonstrar que esta dúvida era mais que suficiente para dar um caráter decisivo, uma tendência positiva na investigação que queria fazer no quarto.

Ele prosseguiu:

– Agora transportemo-nos em imaginação a esse quarto. Qual será o primeiro objeto da nossa investigação? Os meios de evasão empregados pelos assassinos. Podemos afirmar – não é assim? – que não acreditamos em acontecimentos sobrenaturais? As senhoras L'Espanaye não foram mortas pelos espíritos. Os autores do crime eram seres materiais e fugiram materialmente.

– Ora como? Felizmente, não há senão uma maneira de raciocinar sobre esse ponto e é essa maneira que nos conduzirá a uma conclusão positiva. Examinemos, portanto, um a um os meios possíveis de evasão. É evidente que os assassinos estavam no quarto onde se encontrava a jovem L'Espanaye ou, pelo menos, no quarto contíguo quando as pessoas subiram as escadas. Portanto, é apenas nesses dois quartos que vamos procurar a saída. A polícia levantou o soalho, abriu os tetos, sondou a alvenaria das paredes. Nenhuma saída secreta pôde escapar à sua perspicácia. Mas não acredito nos olhos deles e examino-os com os meus: não há ali nenhuma saída secreta. As duas portas que dão para o corredor estavam solidamente fechadas e as chaves por dentro. – comentou o meu amigo, que continuou:.

– Vejamos as chaminés. Estas, que são de uma largura vulgar até uma distância de dois a três metros acima da lareira, não dariam suficiente passagem a um gato gordo.

– A impossibilidade de fuga, pelo menos pelas vias acima indicadas, estava pois absolutamente estabelecida, reduzida somente às janelas. Ninguém poderia fugir pelas do quarto da frente sem ser visto pelas pessoas que estavam lá fora. Seria preciso, portanto, que os criminosos escapassem pelas janelas do quarto dos fundos. – concluiu ele.

– Agora, conduzidos como somos a esta conclusão por deduções também irrefutáveis, não temos o direito, como seres pensantes, de rejeitá-la por causa da sua aparente impossibilidade. Apenas nos resta demonstrar que esta impossibilidade aparente não existe na realidade. Há duas janelas no quarto. Uma delas não está obstruída pelos móveis, encontra-se inteiramente livre. – observou.

E meu amigo prosseguiu com suas explicações:

– A parte inferior da outra está escondida pela cabeceira da cama que é muito maciça e que está completamente encostada. A primeira está solidamente presa por dentro. Ela resistiu aos esforços mais violentos daqueles que tentaram levantá-la. Fizeram um grande buraco com uma broca no caixilho e acharam um prego enorme enterrado quase até a cabeça. Ao examinar a outra janela, encontraram cravado um outro prego semelhante. A polícia ficou desde então plenamente convencida de que nenhuma fuga tinha sido efetuada por esta forma. Foi, portanto, considerado como supérfluo retirar os pregos e abrir as janelas.

– O meu exame foi um pouco mais minucioso, e isso pela razão que lhe dei há pouco. Acontece que eu já sabia ser necessário demonstrar que a impossibilidade não era apenas aparente.

– Continuei a raciocinar assim.... Os assassinos tinham-se evadido por uma das janelas. Sendo assim, eles não podiam ter pregado os caixilhos por dentro, como os encontraram, consideração que, pela sua evidência, limitou as investigações da polícia nesse sentido. No entanto, estes caixilhos estavam bem fechados. Era preciso fechar-se por sim mesmos. Não havia forma de escapar a esta conclusão. Dirigi-me para a janela que não estava pregada, tirei o prego com alguma dificuldade, e tentei levantar o caixilho. Resistiu a todos os meus esforços, tal como eu já esperava. Havia, portanto uma mola escondida. Empurrei-a e, satisfeito com a minha descoberta, abstive-me de levantar o caixilho.

– Tornei a colocar o prego no lugar e examinei-o atentamente. Uma pessoa ao passar pela janela, podia tê-la fechado e a mola teria feito a sua obrigação. Mas o prego não teria sido novamente colocado. Esta conclusão era clara e limitava ainda o campo das minhas investigações. Era preciso que os assassinos tivessem fugido pela outra janela. Supondo, pois, que as molas dos dois caixilhos fossem semelhantes, como era provável, era preciso, no entanto, encontrar uma diferença nos pregos, ou pelo menos na maneira como eles tinham sido fixados.

– Subi no estrado da cama e observei minuciosamente a outra janela por cima da cabeceira. Passei a mão por detrás, descobri facilmente a mola e a fiz funcionar. Como eu imaginara, era idêntica à primeira. Então examinei o prego. Era tão grosso como o outro e fixado da mesma maneira, enterrado quase até à cabeça.

E ele continuou com suas observações:

– Dirá que eu estava confuso; mas se teve semelhante pensamento, é porque desprezou a natureza das minhas intenções. Para empregar um termo de jogo, não tinha cometido uma única falta; não perdera a pista um só instante, não havia uma lacuna no elo da cadeia. Seguira o segredo até à sua última fase e ela era o prego. Assemelhava-se, disse eu, em todos os aspetos com o que havia na outra janela, mas esse fato, por pouco concludente que fosse na aparência, tornava-se absolutamente nulo em face desta consideração dominante ao verificar que nesse prego terminava o fio condutor. É preciso, disse eu, que haja nesse prego qualquer coisa defeituosa. Toquei-lhe, e a cabeça, com um pedaço do prego, talvez um quarto de polegar, ficou nos meus dedos. O resto dele ficou no buraco onde se partira. Esta fissura era bastante antiga, porque os bordos estavam cheios de ferrugem e ele partira-se com uma pancada do martelo que tinha enterrado em parte a cabeça do prego no fundo do caixilho. Reajustei cuidadosamente a cabeça com a parte que o compunha, e parecendo depois um prego intato, a fenda passava despercebida. Apoiei na mola, levantei suavemente a janela algumas polegadas; a cabeça do prego veio agarrada a ela sem sair do buraco. Tornei a fechar a janela e o prego parecia novamente completo. Até aqui o enigma estava desvendado. O assassino fugira pela janela rente à cama. Ainda que ela se tivesse fechado por si depois da fuga ou que ela tivesse sido fechada por mão humana, ela estava presa pela mola, e a polícia atribuíra esta resistência ao prego. Assim, qualquer investigação posterior foi considerada supérflua.

– Agora, perguntava a mim mesmo, como teria fugido o assassino? Nesse ponto, tinha satisfeito o meu espírito na volta dada em redor do prédio. A pouco mais de um metro e meio, em volta da dita janela passa o cabo do para-raios. Por este cabo seria impossível alcançar a janela, e, muito menos, entrar. – concluiu.

– Todavia, reparei que as portas da janela do quarto andar eram de um tipo particular, que os marceneiros parisienses chamam *ferrades*, tipo de portas muito pouco usadas atualmente, mas que se encontram nas velhas casas de Lião e de Bordéus. Neste caso, as portas da janela são largas, de mais de um metro.. Quando nós as examinamos por detrás da casa, elas estavam ambas meio abertas, o que quer dizer que faziam ângulo reto com a parede.

– É de supor que a polícia examinara, como eu, a parte posterior do prédio. Mas ao observar estas *ferrades*, no sentido transversal, não reparou nesta largura, ou pelo menos não deu a importância necessária. Em suma, os agentes, fizeram apenas um exame superficial. No entanto, era evidente para mim, que a janela situada à cabeceira da cama, que se supunha fixada, encontrava-se a dois pés do cabo do para-raios. Era também evidente que com uma energia e coragem insólitas, alguém poderia, com a ajuda do cabo, ter pulado a janela. Ao chegar à distância de uns oitenta centímetros, um ladrão teria podido encontrar nas grades um ponto de apoio sólido. Largando o cabo e, apoiando os pés contra a parede, poderia pular, cair no quarto e empurrar a porta de forma a fechá-la, se a janela estiver aberta nesse momento. – imaginou.

– O meu objetivo é provar, primeiro, que isso se podia praticar, e em segundo lugar, e principalmente, chamar a sua atenção sobre o caráter extraordinário, quase sobrenatural, da agilidade necessária para o realizar. Compare esta energia com esta voz aguda (ou áspera), com esta voz irregular, cuja nacionalidade não pode ser definida pelo acordo de duas testemunhas e da qual ninguém compreendeu palavras articuladas.

Ao ouvir isto, uma concepção vaga e primordial do pensamento de Dupin surgiu no meu espírito. Me senti no limite da compreensão. Tal como as pessoas que por vezes estão quase lembrando de algo, mas não conseguem. O meu amigo continuou com a sua argumentação:

– Veja – disse-me – que relacionei a pergunta sobre a forma de saída, como sendo a da entrada. O meu plano consistia em demonstrar que elas se efetuaram da mesma forma e no mesmo ponto. Voltemos agora ao interior do quarto. Examinemos todos os pormenores. Disseram que as gavetas da cômoda foram saqueadas e, no entanto, encontraram nelas vários artigos de toalete intatos. Esta conclusão é absurda; é uma simples conjectura insignificante e nada mais. Como poderemos saber se os artigos encontrados nas gavetas não representam tudo o que elas continham? A senhora L'Espanaye e a sua filha levavam uma vida isolada, tinham, portanto, poucas ocasiões para mudar de toalete.

– As que se encontraram eram, pelo menos, de tão boa qualidade como aquelas que possuíam estas senhoras. E se um ladrão tivesse tirado algumas, por que não teria tirado as melhores, por que não tiraria mesmo todas?

E ele resumiu:

–Por que teriam deixado os quatro mil francos de ouro para se apoderarem de um embrulho de roupas? O ouro fora abandonado, a totalidade da soma mencionada pelo banqueiro Mignaud fora encontrada no chão, nos sacos. Quero assim afastar do seu pensamento a ideia absurda de um interesse, ideia engendrada no cérebro da polícia pelos depoimentos que falam do dinheiro entregue mesmo à porta da casa. Coincidências dez vezes mais notáveis do que esta (a entrega do dinheiro e o crime cometido três dias depois), apresentam-se em cada hora da nossa vida sem atrair a nossa atenção, nem sequer um minuto. Em geral, as coincidências são pedras enormes de obstáculos no caminho destes pobres pensadores mal preparados que não sabem a primeira palavra da teoria das probabilidades, teoria à qual os conhecimentos humanos devem as suas mais gloriosas conquistas e as suas mais belas descobertas. No presente caso, se o ouro tivesse desaparecido, o fato de ter sido entregue três dias antes, levava a pensar em qualquer coisa mais do que numa coincidência. Isso corroboraria a ideia de interesse. Mas nas circunstâncias reais em que nos encontramos, se supuséssemos que o ouro foi o motivo do assalto, é preciso supor esse criminoso bastante indeciso e suficientemente idiota para esquecer o motivo principal do crime.

– Fixe bem na sua mente os pontos para os quais chamei a sua atenção – essa voz particular, essa agilidade sem igual e esta ausência tão impressionante de interesse num crime tão singularmente atroz como este. Agora, examinemos o absurdo em si mesmo. Eis uma mulher estrangulada, com as mãos, e introduzida numa chaminé, de cabeça para baixo. Criminosos vulgares não empregam semelhantes processos para matar. E muito menos esconderiam os cadáveres das suas vítimas. Nesta maneira de introduzir o corpo na chaminé, admitirá que há aqui qualquer coisa de absolutamente inconciliável com tudo o que nós conhecemos geralmente dos atos humanos, mesmo supondo que os autores fossem os mais pervertidos dos homens. – prosseguiu Dupin.

E ele continuou o raciocínio:

– Pense também que força prodigiosa precisou para empurrar esse corpo por uma abertura semelhante, e empurrá-lo tão fortemente que os esforços de várias pessoas foram necessários e dificilmente o retiraram de lá.

– Encaminhemos agora a nossa atenção sobre outros indícios deste vigor excepcional. Na lareira encontraram-se madeixas de cabelos – mas muito espessos, de cabelos grisalhos. Foram arrancados pela raiz. Imagine a força poderosa que é necessária para arrancar da cabeça vinte ou trinta cabelos ao mesmo tempo. Viu as madeixas mencionadas tão bem como eu. As raízes tinham pele agarrada – espetáculo medonho – prova evidente da prodigiosa força que foi empregada para desenraizar cinco ou seis mil cabelos de uma só vez.

– Não só o pescoço da senhora de idade estava cortado, mas a cabeça completamente separada do corpo: o instrumento fora uma simples navalha de barbear. Peço que repare nesta ferocidade incrível. Não falo das equimoses da senhora L'Espanaye. M. Dumas e o seu digno confrade, M. Étienne, afirmaram que elas tinham sido produzidas por um instrumento contundente e nisso estes senhores acertaram. O instrumento contundente foi, evidentemente, o pavimento do pátio onde a vítima caiu. Esta ideia por muito simples que pareça agora, escapou da polícia pela mesma razão que a impediu de reparar na largura das portas das janelas; porque, graças à circunstância dos pregos, a sua percepção era bloqueada pela ideia de que as janelas não se podiam abrir.

– Se você refletiu convenientemente na desordem estranha do quarto, encontramo-nos bastante adiantados para coordenar as ideias: uma agilidade maravilhosa e uma ferocidade incomum, um morticínio sem motivo, um grotesco horrível, absolutamente estranho à humanidade, e uma voz cuja pronúncia é desconhecida ao ouvido de homens de várias nações – uma voz desprovida de qualquer sílaba distinta e compreensível. Vejamos, que deduz disto? Que impressão lhe desperta na sua imaginação?

Senti um arrepio quando Dupin me fez esta pergunta.

– Um louco – respondi – um maníaco fugido de um manicômio próximo.

– Nada mal – replicou. – O seu raciocínio é quase aplicável. Mas as vozes dos doidos, mesmo nos mais selvagens paroxismos, nunca estão de acordo com o que se diz desta voz singular ouvida da escada. Os doidos pertencem a alguma nação e a sua língua, por muito incoerente que seja em palavras, é sempre coerente na pronúncia. Além de que o cabelo de um doido não se parece com o que eu tenho agora na mão. Retirei este tufo de cabelos dos dedos rígidos e crispados da senhora L'Espanaye. Diga-me que pensa disto?

– Dupin! – disse completamente transtornado – estes cabelos são bem incomuns, não são cabelos humanos!

– Não afirmei que o fossem – disse ainda. – Antes de nos decidirmos sobre esse ponto, desejo que dê uma vista de olhos pelo desenho que tracei neste pedaço de papel. Representa o que certos depoimentos definiram como as equimoses negras e as profundas marcas de unhas encontradas no pescoço da menina L'Espanaye, e que M. Dumas e M. Etienne chamam uma série de manchas lívidas, evidentemente causadas pela pressão dos dedos. Veja – continuou o meu amigo desdobrando o papel na mesa – que este desenho dá a ideia de um punho sólido e firme. Não parece que os dedos tivessem escorregado. Cada dedo agarrou, talvez até à morte da vítima, a terrível presa que fizera e na qual se fixara. Experimente agora colocar todos os seus dedos, ao mesmo tempo, cada um na marca análoga que vê.

Experimentei, mas inutilmente.

– É possível – disse Dupin – que não façamos esta experiência de uma maneira decisiva. O papel está desdobrado numa superfície plana, e a garganta humana é cilíndrica. Eis um rolo de madeira cuja circunferência é aproximadamente a de um pescoço. Estenda o desenho em volta e repita a experiência.

Obedeci, mas a dificuldade foi ainda mais evidente do que da primeira vez.

– Isto não tem a configuração de uma mão humana – observei.

– Leia agora esta passagem de Cuvier – ordenou Dupin.

Era a história minuciosa, anatômica e descritiva do grande orangotango fulvo das ilhas da índia Oriental. Todos conhecem suficientemente a gigantesca estatura, a força e a agilidade prodigiosa, a ferocidade selvagem e as faculdades imitativas deste mamífero.

Compreendi imediatamente a horrível violência do crime.

– A descrição dos dedos – disse-lhe quando acabei a leitura – concorda perfeitamente com o desenho. Vejo que nenhum animal – exceto um orangotango, e da espécie mencionada – poderia ter feito marcas tais como as que desenhou. Este molho de pelos castanho-avermelhados é também de um caráter idêntico ao do animal de Cuvier. Mas não me apercebi facilmente dos pormenores deste medonho mistério. Aliás, ouviram duas vozes, e uma delas era incontestavelmente a voz de um francês.

– Sim, lembre-se de uma expressão atribuída quase por unanimidade a esta voz – a expressão "meu Deus!". Estas palavras, nas circunstâncias presentes, foram caraterizadas por uma das testemunhas (Montani, o confeiteiro) como exprimindo uma censura e uma admoestação. Foi relacionada com estas duas palavras que eu baseei as minhas esperanças em decifrar completamente o enigma. Um francês teve conhecimento do crime. É possível – é mesmo mais que possível que esteja inocente de qualquer coparticipação neste sangrento caso. O orangotango pode ter fugido. É possível que tivesse seguido o rasto até ao quarto, mas que, devido às circunstâncias terríveis que se seguiram, ele não pudesse prendê-lo. O animal está ainda à solta. Não prosseguirei nestas conjeturas, não tenho o direito de dar outro nome a estas ideias, pois a sombra de reflexões que lhes servem de base são de uma profundidade dificilmente suficiente para serem apreciadas pelo meu próprio raciocínio, e não pretenderia que fossem apreciadas por uma outra inteligência. Portanto, vamos considerar que são conjeturas. Se o francês em questão está, como suponho, inocente desta atrocidade, este anúncio que entreguei ontem à noite, quando voltávamos a casa, no escritório do jornal *O Mundo* (folha dedicada aos assuntos marítimos e muito procurada pelos marinheiros), há de trazê-lo até nós.

Estendeu um papel, em que estava escrito:

"AVISO: – Encontrou-se no bosque de Bolonha, na manhã do... do corrente (era a manhã do assassinato), de madrugada, um enorme orangotango fulvo, da espécie de Bornéu. O proprietário (que se sabe ser um marinheiro que pertence à tripulação de um navio maltês) pode reaver o animal, depois de o identificar satisfatoriamente e de ter reembolsado de algumas despesas a pessoa que o apanhou e o guardou. Dirigir-se à rua..., n.º... – bairro de Saint-Germain, terceiro andar."

– Como pôde saber que o homem era um marinheiro – perguntei-lhe – e pertencia a um navio maltês?

– Não sei – me respondeu – Não estou bem certo. Eis, no entanto, um pedaço de fita que, a julgar pela sua forma e aspecto gorduroso, serviu evidentemente para atar os cabelos num longo rabicho, o que torna os marinheiros tão orgulhosos e tão ridículos. Além disso, este nó é um dos que poucas pessoas sabem fazer, exceto os marinheiros, e em particular os malteses. Apanhei a fita por baixo do cabo do para-raios. É possível que tenha pertencido a uma das duas vítimas. Apesar de tudo, se me não engano ao deduzir que esta fita é de um marinheiro francês que pertence a um navio maltês, não poderei fazer mal a ninguém com o meu anúncio. Se eu estiver enganado, ele pensará simplesmente que cometi um erro, por qualquer circunstância que não se preocupará em investigar. Mas se estiver no bom caminho, há um ponto importante já ganho. O francês que teve conhecimento do assassinato, se bem que esteja inocente, hesitará naturalmente em responder ao anúncio – a reclamar o seu orangotango. Raciocinará assim: "Estou inocente; sou pobre; o meu orangotango vale muito – é quase uma fortuna numa situação como a minha; por que havia de perdê-lo, por causa de um medo estúpido?" Encontraram-no no bosque de Bolonha, a uma grande distância do local do crime. Não vão supor que um animal de tal espécie tenha podido executar o crime. A polícia está despistada – ela não consegue encontrar o mais insignificante indício esclarecedor. Mesmo que estivessem na pista do animal, seria impossível provar que eu tivesse conhecimento do assassinato ou incriminar-me por causa deste conhecimento. Enfim e antes de mais, "eu sou conhecido". O redator do anúncio considerou-me como o proprietário do animal. Mas não sei a que ponto vai a sua certeza; se evito reclamar uma propriedade de um tão grande valor, que é sabido pertencer-me, posso atrair sobre o animal uma dúvida perigosa. Seria da minha parte uma má política chamar a atenção para o animal e a minha pessoa. Responderei devidamente ao anúncio do jornal, terei novamente o meu orangotango e trancarei bem até que o caso esteja esquecido.

Nesse momento, ouvimos passos subirem a escada.

– Prepare-se – ordenou Dupin – e pegue nas suas armas, mas não se sirva delas nem as mostre sem um sinal meu.

Tinham deixado aberto o portão, e o visitante havia entrado sem bater e subido vários degraus da escada. Mas parecia que agora hesitava. Dupin foi apressadamente para a porta, quando ouvimos que ele subia novamente. Desta vez, não fugiu, mas avançou deliberadamente e bateu à porta do nosso quarto.

Dupin convidou-o a entrar, com uma voz alegre e cordial. Apresentou-se um homem. Era, evidentemente, um marinheiro, alto, robusto, um indivíduo musculoso com uma expressão audaciosa, que não era de todo desagradável! A cara dele estava semiescondida com as suíças e os bigodes. Trazia uma bengala de carvalho, mas não parecia ter qualquer outra arma. Cumprimentou-nos desajeitadamente e deu-nos boa-noite em francês, se bem que com um ligeiro sotaque suíço e lembrava bastante uma origem parisiense.

– Sente-se, meu amigo, suponho que vem por causa do seu orangotango. Palavra de honra que quase o invejo; é bonito e, sem dúvida, um animal de grande preço. Quantos anos tem?

O marinheiro suspirou longamente, com jeito de quem se sente aliviado de um peso e respondeu com uma voz calma.

– Não poderia dizê-lo muito bem. No entanto, não deve ter mais de quatro ou cinco anos. Ele está aqui?

– Oh! Não; não tínhamos lugar apropriado para prendê-lo. Está numa cavalariça, perto daqui, em Dubourg. Já o terá amanhã de manhã. Poderá comprovar o direito de propriedade?

– Sim, senhor, certamente.

– Ficarei triste por me separar dele – respondeu-lhe Dupin.

– Não compreendo por que se incomodou por tão pouco; não contava com isso, senhor. Pagarei de boa vontade uma gratificação à pessoa que encontrou o animal e uma recompensa, se entender.

– Muito bem – respondeu-lhe o meu amigo – tudo isso é muito justo. Vejamos, que daria então? Oh! Vou dizer-lhe. Eis qual será a minha recompensa: contar-me tudo o que sabe acerca dos dois crimes da rua Morgue.

Dupin pronunciou estas últimas palavras em voz baixa e muito tranquila. Dirigiu-se depois para a porta com a mesma calma, fechou-a e meteu a chave no bolso. Tirou então uma pistola do bolso e colocou-a sem a menor emoção sobre a mesa. O rosto do marinheiro tornou-se escarlate como se estivesse a sentir-se sufocado. Ergueu-se e agarrou na bengala, mas um segundo depois sentou-se pesadamente no banco, tremendo violentamente, com a morte estampada na cara.

Não podia articular uma palavra. Lamentava-o de todo o meu coração.

– Meu amigo – disse Dupin, com uma voz cheia de bondade – alarma-se sem motivos. Garanto-lhe que não queremos causar-lhe nenhum mal. Dou a minha palavra que não temos nenhuma má intenção contra você. Sei perfeitamente que está inocente dos horrores da rua Morgue. Contudo, isso não quer dizer que não esteja um pouco implicado. Por pouco que lhe tenha dito, devo provar-lhe que tive sobre este caso meios de informação dos quais jamais teria desconfiado. Agora, a coisa é clara para nós. Não fez nada que pudesse evitar, nada de certeza que o torne culpado. Teria podido roubar impunemente. Não tem nada a esconder, não tem razão para esconder seja o que for. Por outro lado, é constrangido por todos os princípios de honra a confessar tudo. O que sabe. Um homem inocente está presentemente preso e acusado de um crime cujo autor o senhor pode indicar.

Enquanto Dupin pronunciava estas palavras, o marinheiro recobrou em grande parte a presença de espírito; mas toda a sua ousadia inicial desaparecera.

– Que Deus me valha! – exclamou ele depois de uma pequena pausa. – Direi tudo o que sei deste caso, mas não espero que acredite nem na metade, seria idiota se esperasse! No entanto, estou inocente e direi tudo o que tenho no meu coração mesmo que me custe a vida.

Eis o que nos contou. Tinha feito recentemente uma viagem ao arquipélago indiano. Um grupo de marinheiros, do qual fazia parte, desembarcou no Bornéu e penetrou no interior para aí fazer uma excursão. Ele e um dos seus camaradas apanharam o orangotango. O camarada morreu e o animal tornou-se, portanto, sua propriedade. Depois de muitos transtornos causados pela ferocidade do animal, durante a travessia, ele conseguiu instalá-lo na sua própria casa, em Paris, e para não atrair a insuportável curiosidade dos vizinhos, conservou o animal cuidadosamente fechado, até o curar de uma ferida num pé, que fizera a bordo, com uma lasca de osso. O seu intento era vendê-lo.

Ao acordar, uma noite, depois de uma orgiazinha de marinheiros, encontrou o animal instalado no quarto dele: escapara do cômodo ao lado, onde o julgava bem fechado. Com uma navalha na mão e cheio de espuma de sabão, estava sentado diante de um espelho e tentava barbear-se, como, sem dúvida, vira o dono fazer, ao espreitar pelo buraco da fechadura. Aterrorizado por ver uma arma perigosa nas mãos de um animal tão feroz, muito capaz de se servir dela, o homem durante uns instantes, não soube o que devia fazer. Como de costume, ele domava o animal, mesmo nos acessos mais furiosos, por meio de chicotadas, e quis recorrer a elas, uma vez mais. Mas ao ver o chicote, o orangotango saltou pela porta do quarto, desceu rapidamente pelas escadas, e, aproveitando uma janela aberta, por desgraça, saltou para a rua.

O francês, desesperado, perseguiu o macaco; este, segurando sempre a navalha, parava de vez em quando, voltava-se e fazia caretas ao homem que o perseguia, até se ver quase preso. Depois retomava a corrida. As ruas estavam absolutamente desertas, porque seriam umas três da manhã. Ao atravessar uma passagem da rua por detrás da rua Morgue, a atenção do fugitivo foi despertada por uma luz que se via na janela da senhora L'Espanaye, no quarto andar do prédio. Precipitou-se para a parede, avistou o cabo do para-raios, e apoiando-se nele, trepou com uma inacreditável agilidade, agarrou-se à porta da janela que estava junto à parede, e apoiando-se por cima, lançou-se direito à cabeceira da cama.

Toda esta ginástica não durou um minuto. A porta foi atirada de novo para a parede, pelo salto que o orangotango dera ao entrar no quarto.

Entretanto, o marinheiro ficou ao mesmo tempo alegre e inquieto. Tinha muitas esperanças de agarrar o animal, que podia dificilmente escapar da armadilha em que se tinha aventurado e onde poderia impedir-lhe a fuga. Por outro lado, tinha razão para estar bastante inquieto pelo que ele poderia fazer dentro de casa.

Esta última reflexão incitou o homem a perseguir o fugitivo. Não é difícil para um marinheiro trepar pelo cabo de um para-raios, mas, quando chegou à altura da janela situada bastante longe, à esquerda, ele sentiu-se desorientado; tudo quanto pôde fazer foi erguer-se de forma a dar uma espiada no interior do quarto. Mas o que viu quase o fez cair, aterrorizado. Foi então que se ouviram os gritos horríveis que, no silêncio da noite, despertaram em sobressalto os habitantes da rua Morgue. A senhora L'Espanaye e a sua filha, já com as suas roupas de dormir, estavam ocupadas certamente a arrumar alguns papéis no cofre de ferro, que já se mencionou e que fora atirado para o meio da casa. Este achara-se aberto, o seu conteúdo espalhado no chão. As vítimas, sem dúvida, de costas para a janela, e a julgar pelo tempo que decorreu entre a invasão do animal e os primeiros gritos, é provável que não se apercebessem imediatamente. O bater da porta da janela podia ser na realidade atribuído ao vento.

Quando o marinheiro olhou para dentro do quarto, o terrível animal tinha agarrado a senhora L'Espanaye pelos cabelos, que estavam soltos porque estava se penteando, e o animal andava em volta da casa, imitando os gestos de um barbeiro. A filha tombara no chão, desmaiada, imóvel. Os gritos e esforços da senhora idosa, enquanto os cabelos lhe foram arrancados da cabeça, fizeram com que transformasse em fúria as disposições provavelmente pacíficas do orangotango. Com um golpe rápido do braço musculoso, quase separou a cabeça dela do tronco. Rangia os dentes e lançava faíscas dos olhos. Deitou-se em cima do corpo da jovem, enterrando as unhas na garganta e conservando-as ali até ela estar morta. Os seus olhos espantados, selvagens, avistaram nesse momento a cabeceira da cama, por cima da qual pôde ver a cara do seu dono paralisado pelo horror.

A fúria do animal, que sem dúvida alguma se recordava do terrível chicote, transformou-se imediatamente em terror. Sabendo bem que tinha merecido um castigo, parecia querer esconder os vestígios sangrentos do seu ato, e saltando, nervoso, acotovelando e quebrando os móveis a cada um dos seus movimentos, arrancou os colchões da cama. Por fim, agarrou o corpo da jovem e empurrou-o para dentro da chaminé na posição em que foi encontrado. A seguir pegou o corpo da senhora, atirando, primeiramente, a cabeça pela janela.

Como o macaco se aproximasse da janela com o seu fardo totalmente mutilado, o marinheiro, espantado, baixou-se e deixou-se escorregar e fugiu, temendo as consequências desta carnificina e, aterrorizado, resolveu deixar de lado qualquer preocupação sobre o destino do seu orangotango.

As vozes ouvidas pelas pessoas eram as suas exclamações de horror, misturadas com os guinchos diabólicos do animal.

Quase nada mais tenho a acrescentar. O orangotango escapara sem dúvida do quarto, pelo cabo do para-raios, no momento em que a porta foi arrombada. Ao passar pela janela, ele se fechara, evidentemente.

Foi apanhado mais tarde pelo próprio dono, que o vendeu por bom preço ao zoológico.

Lebon foi imediatamente posto em liberdade, depois que nós contamos detalhadamente todo o caso, temperado com alguns comentários de Dupin, no gabinete do chefe da polícia. Este funcionário, por muito bem-disposto que estivesse para com o meu amigo, não podia disfarçar o seu mau humor vendo o inquérito dar essa reviravolta e não deixou de falar com sarcasmo, sobre "a mania que as pessoas têm de se intrometer na vida alheia".

– Deixe que fale – disse Dupin, que não julgou adequado replicar. – Deixem criticar que isso aliviará a sua consciência. Estou contente por o ter batido no seu próprio terreno. O fato de ele não decifrar este mistério não é razão nenhuma para se espantar, porque, na verdade, o nosso amigo chefe é um homem demasiado esperto para ser profundo. A sua ciência não tem fundamento. Ela é toda cabeça e não tem corpo, tal como a deusa Laverna, ou, se gostarem mais, toda cabeça e ombros, como o bacalhau. Mas, apesar de tudo, é um homem valente. Adoro-o em particular por sua falsa modéstia ao qual deve a reputação de gênio. Falo da sua mania de "negar o que é, e explicar o que não é". [1]

---

1 Frase do filósofo francês Jean Jacques Rousseau. (N. d. T.)

A CARTA ROUBADA

The Purloined Letter, 1844

Em 18___ eu estava em Paris. Após uma sombria e tempestuosa tarde de outono, gozava a dupla voluptuosidade da meditação e de um cachimbo feito de espuma-do-mar, na companhia do meu amigo Dupin, na sua pequena biblioteca ou gabinete de estudo, no número 33 da rua Dunot, terceiro andar, no bairro de Saint-Germain. Durante mais de uma hora mantivemos em profundo silêncio, e qualquer observador não acreditaria que havíamos estado profunda e exclusivamente absorvidos na contemplação das irregulares espirais de fumo que enchiam a atmosfera do quarto. Por meu lado, discutia mentalmente certos pontos que, durante a primeira parte do serão, tinham sido o tema da nossa conversa, isto é, os crimes da rua Morgue e o mistério referente ao assassínio de Marie Roget. Estava eu a pensar na estranha semelhança que existia entre os dois crimes quando a porta se abriu para dar passagem ao nosso velho amigo G___, chefe da polícia.

Cordialmente, o saudamos, porque aquele homem tinha o seu lado bom e o seu lado mau, e já não o víamos há alguns anos. Como nos encontrávamos quase completamente às escuras, Dupin levantou-se para acender um candeeiro. No entanto, sentou-se prontamente, sem fazer mais nenhum gesto, ao ouvir o senhor G___ dizer que tinha ido consultar-nos ou, melhor,

pedir a opinião do meu amigo acerca de um assunto que o deixava muito preocupado.

– Se é um caso que exige reflexão – observou Dupin sem acender a luz – é melhor examiná-lo nas trevas.

– Aí está uma ideia extravagante – volveu o policial, que tinha a mania de chamar de extravagâncias a todas as coisas além da sua compreensão, o que o levava, certamente, a viver no meio de uma enorme legião de extravagâncias.

– É verdade – concordou Dupin, estendendo um cachimbo na direção do visitante e oferecendo-lhe uma cômoda poltrona.

– Bem, quer agora explicar-nos qual é esse assunto difícil? – perguntei.

– Espero que não seja outro assassinato...

– Oh, não! Nada disso. O caso é muito simples e não duvido que pudéssemos resolver o problema, mas pensei que não desagradaria a Dupin conhecer os pormenores deste assunto, precisamente porque é extremamente estranho.

– Simples e estranho – disse Dupin.

– Isso mesmo. No entanto, a expressão não é exata: se preferir, pode escolher uma ou ambas as definições. O certo é que o caso deixa-nos preocupados e inseguros, porque, apesar da sua simplicidade, estamos completamente desorientados.

– Talvez seja a própria simplicidade que os desorienta – replicou o meu amigo.

– Que contrassenso! – exclamou o delegado, rindo à toa.

– Pode ser que o mistério seja demasiado claro – disse Dupin.

– Deus do céu! Quem é que já ouviu dizer uma coisa, dessas?

– Demasiado evidente!

– Ah! ah! ah! – riu o nosso visitante, que sem dúvida se sentia muito divertido. – Oh, meu caro Dupin, ainda me faz morrer de rir!

– Mas, afinal, do que se trata?

– Eu já conto – respondeu o chefe de polícia, lançando uma baforada de fumo e instalando-se melhor na poltrona. – Direi tudo em poucas palavras, mas, antes de começar, permita-me que o avise de que o caso requer o maior sigilo, e eu perderia provavelmente o meu lugar se soubessem que eu tinha confiado o segredo a alguém.

– Comece – incitei-o.

– Ou não comece – disse Dupin.

– Está bem, começo. Segundo informação que me deram pessoalmente, e proveniente de altas esferas, um documento da maior importância foi subtraído dos aposentos reais. Sabe-se quem é o indivíduo que o roubou, isto não oferece dúvidas, pois viram-no apoderar-se dele. Também podemos afirmar que o documento continua em seu poder.

– Como sabe disso?

– Deduziu-se claramente da natureza do documento e da ausência de certos resultados que se produziriam imediatamente se o papel saísse das mãos do ladrão. Por outras palavras: se fosse empregado para alcançar o objetivo que o indivíduo se propunha, evidentemente, alcançaria.

– Quer ser um pouco mais explícito? – pedi.

– Pois bem, direi que esse papel confere ao seu possuidor certo poder num lugar onde qualquer influência é extraordinária.

– O delegado adorava este palavreado que revela a intriga diplomática.

– Continuo a não perceber nada – declarou Dupin.

– Absolutamente nada? Então... se este documento fosse revelado a uma terceira pessoa, cujo nome não direi, poria em situação embaraçosa uma pessoa da mais elevada posição. E é isto que dá ao detentor desse documento um ascendente sobre a ilustre pessoa cuja honra e segurança se encontram desta maneira em perigo.

– Mas esse ascendente – interrompi – depende disto: o ladrão sabe que a pessoa roubada sabe quem foi que cometeu o roubo? Quem se atreveria...?

– O ladrão – explicou G__ – é D__, que se atreve a tudo o que é indigno de um homem, mas muito digno dele. O procedimento que utilizou no roubo foi tão engenhoso como ousado. O documento em questão, uma carta, para lhe ser franco, foi recebido pela pessoa roubada enquanto se achava no seu aposento real. Enquanto o lia, foi interrompida repentinamente pela entrada de outra personagem, de quem pretendia especialmente esconder aquela missiva. Depois de ter tentado inutilmente guardá-la numa gaveta, viu-se obrigada a deixá-la, aberta, em cima da mesa. No entanto, deixou-a voltada para baixo, com o endereço para cima e, escondido desta maneira, o conteúdo não chamou a atenção. Entretanto, chegou o ministro D__ Os seus olhos de lince fixaram-se no papel, reconheceram a letra do endereço e, ao ver a embaraçosa situação em que se achava a pessoa a quem a carta tinha sido dirigida, adivinhou o seu segredo.

Depois de tratar de alguns assuntos, despachados apressadamente, na sua maneira habitual, tirou da algibeira uma carta parecida com a referida, abriu-a, fingiu lê-la e colocou-a precisamente ao lado da outra. Durante um quarto de hora pôs-se novamente a falar dos assuntos políticos. Pouco tempo depois pediu licença para se retirar e pousou a mão em cima da carta comprometedora, à qual não tinha qualquer direito. A pessoa roubada

viu tudo, mas, como é natural, não se atreveu a chamar a atenção para este fato, devido à presença da terceira pessoa de que lhes falei. E o ministro abandonou a sala, deixando em cima da mesa a sua carta, uma carta sem importância.

– Deste modo – disse Dupin voltando-se para mim – é um caso em que o ascendente é completo: o ladrão sabe que a pessoa roubada sabe quem a roubou.

– Sim – replicou o chefe de polícia – e de há uns meses para cá tem-se aproveitado muito bem do poder conquistado graças a este estratagema, com um fim político e até um ponto muito perigoso. A pessoa roubada está dia a dia mais convencida da necessidade premente e absoluta de recuperar a carta. Mas, obviamente, não pode fazê-lo de uma maneira descarada. Assim, chegada a este extremo, essa pessoa encarregou-me do caso.

– Suponho que não é possível – observou Dupin, que estava cercado por uma auréola de fumo – escolher, nem sequer imaginar, alguém mais sagaz.

– Está me lisonjeando – disse o delegado –, mas talvez tenham formado a meu respeito uma opinião desse gênero.

– É evidente – comentei – que, como fez notar, a carta contínua nas mãos do ministro, uma vez que é o fato de a ter na sua posse e não a utilização que cria o poder sobre o roubado. O ascendente desapareceria com a utilização.

– É verdade – disse G__ – que é guiado por essa convicção que tenho encaminhado as investigações. O meu primeiro cuidado foi fazer uma inspeção minuciosa no palacete do ministro, e a minha principal dificuldade fazê-lo sem ele saber. Estava em guarda sobretudo contra o perigo que poderia haver se lhe desse um motivo para suspeitar das nossas intenções.

– Mas o senhor está absolutamente à vontade nesse gênero de investigações – fiz-lhe notar. – A polícia parisiense tem feito numerosas vezes trabalhos desses.

– Oh, sem dúvida, e é por isso que tenho muitas esperanças. Por outro lado, os hábitos do ministro proporcionam-me grandes vantagens. Dorme fora com frequência, e embora não tenha vários criados, estes dormem à boa distância do quarto do patrão e ainda mais são napolitanos, deixam-se embriagar facilmente. Como sabe, disponho de chaves com que posso abrir todos os quartos e salas de Paris. Durante três meses não passei uma única noite sem inspecionar pessoalmente o palacete de D__ A minha honra está nisto comprometida, e para que fique a par de tudo, direi que a recompensa é enorme. Assim, não abandonei as buscas senão quando me convenci de que o ladrão é mais sagaz que eu. Julgo que revistei todos os cantos onde é possível esconder um papel.

– Mas não é possível – insinuei – que a carta, embora continue em poder do ministro, esteja escondida fora da casa dele?

– Isso não é possível – respondeu Dupin. – A situação particular da corte e especialmente a natureza da intriga de que o senhor D__ tomou conhecimento criam a necessidade de o documento se encontrar ao alcance da mão, para poder ser utilizado imediatamente. Este ponto é tão importante como a posse do documento.

– A possibilidade de mostrá-lo? – perguntei.

– Ou, se preferir, de destruí-lo – acrescentou Dupin.

– Sim, é verdade – concordei. – É evidente que o papel se encontra no palacete. E consideramos absurdo que o ministro o traga consigo.

– Sem dúvida – confirmou o policial. – Mandei-o deter por duas vezes por falsos ladrões, que o revistaram da cabeça aos pés, diante dos meus olhos.

– Podia ter-se poupado a esse trabalho. Segundo presumo, o senhor D__ não é louco e deve ter previsto esse expediente como arma muito provável.

– Não é louco declarado – volveu G__. – mas, é poeta, o que significa que não está muito longe da loucura.

– Isso é verdade – disse Dupin, depois de ter lançado uma grande baforada do seu cachimbo de âmbar – e digo-lhe até que já escrevi alguns poemas...

– Vamos – atalhei – conte-nos os pormenores exatos das suas investigações.

– O fato é que temos perdido tempo e que procuramos em toda a parte. Tenho grande experiência destes assuntos e no caso presente revistamos sala por sala, dedicando a cada uma as noites de uma semana inteira. Primeiro, examinamos os móveis de cada divisão. Abrimos todas as gavetas e, como sabem, não existem gavetas secretas para um agente bem treinado. Qualquer homem que permite que lhe escape um esconderijo deste gênero, numa investigação destas, é um imbecil. A tarefa é tão fácil! Existe em cada divisão uma certa quantidade de volumes e superfícies de que podemos dar-nos conta. Temos para isso regras exatas. Não pode escapar-nos um décimo de milímetro.

Inspecionamos também todo o gênero de assentos. Os estofos e as almofadas foram sondadas com agulhas iguais às que já me viu empregar, também retiramos os tampos das mesas.

– Sim? Por quê?

– Por vezes, os tampos das mesas são levantados para esconder alguma coisa. Para isso, faz-se um furo num dos pés da mesa, guarda-se o objeto na cavidade e torna a colocar-se o tampo. Faz-se o mesmo com as tábuas ou a cabeceira das camas.

– Mas não podia descobrir-se a cavidade dando pancadas, até soar a oco? – perguntei.

– Não, senhor. Porque, ao depositar o objeto, a pessoa deve ter o cuidado de envolvê-lo numa capa espessa de algodão e não se dá o som oco. Além disso, nós não podíamos fazer barulho.

– Mas não tiveram possibilidade de desmontar todas as peças de mobiliário onde podiam ter escondido o objeto da maneira que descreveu. Uma carta pode ser enrolada numa espiral muito delgada, ficando com o volume de uma agulha de tricotar grossa, e deste modo ser metido no pé de uma cadeira, por exemplo. Desmontaram todas as cadeiras?

– Não, mas fizemos melhor do que isso. Examinamos os pés das cadeiras e as junções de todos os móveis, com a ajuda de um potente microscópio. Se tivesse havido alguma mexida recente, certamente teríamos descoberto. Um único grão de serradura produzido por uma broca, por exemplo, apareceria aos nossos olhos quase com o tamanho de uma maçã. A menor alteração na cola, uma simples separação das juntas revelaria o esconderijo.

– Suponho que o senhor examinou os espelhos e que inspecionou as camas, as cortinas das camas, os cortinados e os tapetes.

– Naturalmente, e ao mesmo tempo que inspecionávamos esses objetos examinamos a respectiva divisão. Fizemos um exame da totalidade de superfície, dividindo-a em partes que numeramos, a fim de ficarmos certos de não ter omitido alguma, e cada polegada quadrada foi submetida a novo exame microscópico. Chegamos até a inspecionar as casas adjacentes.

– As casas vizinhas?! – exclamei. – Mas que trabalho tiveram!

– Tem muita razão! Mas, repito, a recompensa é enorme.

– Examinaram também o soalho?

– O chão é de ladrilhos e não nos deu relativamente muito trabalho. Ao observarmos a argamassa entre os ladrilhos pudemos certificar-nos de que estava intacta.

– Decerto examinaram os papéis do senhor D__ e os livros da sua biblioteca.

– Evidentemente. Abrimos todos os embrulhos e todos os livros, e não nos limitamos simplesmente a sacudi-los, como alguns policiais fazem: vimos folha por folha. Também medimos a espessura de cada encadernação e observamos ao microscópio. Se tivessem recentemente introduzido algum papel numa das capas, o fato não teria escapado à nossa observação. Cinco ou seis volumes que haviam chegado das mãos do encadernador foram conscienciosamente sondados longitudinalmente com agulhas.

– Examinaram o chão, debaixo dos tapetes?

– Sim, levantamos os tapetes e observamos o chão ao microscópio.

– E o papel das paredes?

– Também.

– Foram aos sótãos?

– Fomos.

– Então, enganaram-se na pista – declarei – e a carta não está, como supunham, no hotel.

– Receio que o senhor tenha razão – disse o chefe de polícia. – E agora, Dupin, que me aconselha a fazer?

– Uma investigação completa.

– É absolutamente inútil – respondeu G._ – A carta não está no palacete!

– Não posso dar-lhe outro conselho melhor. O senhor conhece a forma, a letra e demais pormenores necessários para identificar a carta?

– Oh, sim! – O chefe de polícia puxou por uma agenda e começou a ler em voz alta a descrição minuciosa do documento perdido, do seu aspecto interior e principalmente do seu aspecto exterior. Pouco depois de ter terminado a leitura desta descrição, o homem despediu-se de nós tomado de um desânimo que nunca lhe tínhamos visto.

Cerca de um mês mais tarde, o delegado fez-nos segunda visita, encontrando-nos ocupados da mesma maneira. Pegou num cachimbo, puxou uma poltrona e falou de diversas coisas. Ao fim de algum tempo, perguntei a ele:

– Então, meu caro delegado, onde está a carta roubada? Calculo que acabou finalmente por compreender que é dificílimo vencer o ministro.

– Que vá para o diabo! Apesar de tudo, voltei a começar as pesquisas, conforme me aconselhou Dupin. No entanto, como calculava, foi trabalho perdido.

– A quanto chega a recompensa? O senhor disse...?

– É muito elevada... uma recompensa verdadeiramente excepcional, mas não quero dizer-lhe qual é o valor. Todavia, estaria disposto a pagar cinquenta mil francos a quem me encontrasse essa carta. O fato é que o assunto é cada vez mais urgente e a recompensa foi duplicada há pouco tempo. Mas mesmo que desse três vezes mais que a princípio, o meu zelo não poderia por isso ser maior.

– Sim, acredito – disse Dupin, arrastando as palavras no meio de baforadas de fumo. – Acredito no que me diz. Parece-me, no entanto, que o senhor não fez tudo o que era possível... que não chegou ao fundo da questão.

Podia fazer um pouco mais. Assim me parece... Hum?

– Como? Em que sentido?

– Ah... (uma baforada de fumo) o senhor podia (uma série de baforadas) pedir conselho sobre o assunto, hem? (três baforadas). Lembra-se da história que contam acerca de Abernethy?

– Não! Esse Abernethy que vá para o diabo!

– Está bem. Escute. Uma vez, um rico muito avarento concedeu a ideia de obter gratuitamente de Abernethy uma consulta médica. Com este objetivo, teve com ele, no meio de outras pessoas, uma conversa banal, por meio da qual insinuou ao médico o seu próprio caso, como se se tratasse de um doente hipotético.

– Suponhamos – disse o avarento – que os sintomas são estes e aqueles. Que me aconselharia?

– Pois, o aconselhava que fosse ao meu consultório.

– Mas – retorquiu o delegado um pouco desconcertado – eu estou disposto a ouvi-lo e a pagar-lhe. Se alguém me tirasse deste apuro, receberia sem dúvida alguma, cinquenta mil francos.

– Nesse caso – disse Dupin, abrindo uma gaveta e tirando de lá um livro de cheques – pode preencher um cheque desse montante. Depois de o ter assinado, darei a carta.

Fiquei estupefato. Por seu turno, o delegado parecia aterrado. Ficou alguns minutos de boca aberta, mudo e imóvel, fitando o meu amigo com ar incrédulo e com os olhos quase fora das órbitas.

Por fim, recobrou parte do sangue-frio, pegou numa caneta e, após uma certa hesitação, com o olhar perturbado e o rosto quase sem expressão, assinou o cheque de cinquenta mil francos e entregou-o a Dupin. Este examinou o cheque cuidadosamente, guardou-o na carteira, e, em seguida, abriu uma escrivaninha e tirou de lá uma carta que entregou ao chefe de polícia. O homem pegou-lhe com alegria, abriu-a com dedos trêmulos, deu uma olhada no seu conteúdo e, sem dizer uma palavra, precipitou-se na direção da porta e desapareceu. Não pronunciou uma palavra a partir do momento em que Dupin lhe pediu que preenchesse o cheque.

Logo que ele fechou a porta, o meu amigo deu-me algumas explicações.

– A polícia parisiense é muito hábil nas suas funções – disse-me. – Os agentes da polícia são perseverantes, engenhosos, sagazes e possuem os conhecimentos exigidos pelo seu papel específico. Assim, quando G__. nos pormenorizou a maneira como tinham inspecionado a residência de D__., mostrou inteira confiança nos seus talentos e estava certo de ter feito uma investigação conscieniosa, dentro da sua especialidade.

– Dentro da sua especialidade?

– Sim. As medidas adotadas não só eram as melhores no gênero, mas também foram executadas com absoluta perfeição. Se a carta tivesse estado no raio das suas investigações, os policiais teriam encontrado, sem sombra de dúvida.

Soltei uma gargalhada. Dupin, porém, parecia falar muito seriamente.

– Portanto, as medidas eram boas – continuou – e foram admiravelmente executadas. Mas tinham o defeito de ser inaplicáveis ao caso presente e a tal homem. Para o delegado, existe uma série de meios muito engenhosos, que aplica em todos os casos e aos quais adapta todos os planos. Infelizmente, erra sempre por demasiada profundidade ou por excessiva superficialidade nos casos que não se enquadram nos seus esquemas, e qualquer criança inteligente será capaz de raciocinar melhor do que ele.

Conheci um garoto de oito anos cuja infalibilidade no jogo do par ou ímpar causava admiração geral. Este jogo é simples e joga-se geralmente com bolinhas de gude. Um dos jogadores fecha na mão um certo número de bolinhas e pergunta ao outro: Par ou ímpar? Se este último adivinha, ganha uma bolinha, mas se se engana, perde um. O garoto de quem estou me referindo ganhava todas as bolinhas da escola. Evidentemente, tinha um sistema para adivinhar baseado na simples observação, no conhecimento da agudeza de espírito do adversário. Suponhamos que o seu adversário é um perfeito pateta e, mostrando a mão fechada, pergunta: Par ou ímpar? O nosso estudante responde "ímpar" e perde. Na vez seguinte ganha porque diz para si: O tolo pôs par da primeira vez e a sua esperteza não o levará mais longe que pôr ímpar da segunda. Portanto, vou dizer ímpar! E ganho. E assim sucede.

Mas com um adversário menos estúpido teria pensado deste modo: Este rapaz vê que se eu disse ímpar e na segunda vez pensará – é a primeira ideia que lhe ocorrerá – em fazer uma pequena variação, como faz o primeiro estudante. Porém, uma segunda reflexão dirá que esta mudança é muito simples, e finalmente decide pôr par, como na primeira vez. Vou dizer par. Diz par e ganha. Muito bem. A maneira de raciocinar do nosso estudante, a que os companheiros chamam sorte, o que é, na realidade?

– É – respondi – uma identificação das ideias do raciocinador com as do seu adversário.

– Exatamente – confirmou Dupin. – E quando perguntei a esse rapazinho por que meios alcançava esta perfeita identificação, que o levava a ganhar sempre, respondeu-me desta maneira:

– Quando quero saber até que ponto uma pessoa é esperta ou estúpida, até que ponto é boa ou má, e quais são os seus pensamentos, dou à minha cara a mesma expressão que a da pessoa que observo e espero pelos pensamentos que possam nascer no meu espírito ou no meu coração e que correspondam àquela minha expressão.

Esta resposta deixa reduzida à expressão mais simples a profundidade sofística atribuída a La Rochefoucauld, a Bruyère, a Maquiavel e a Campanella.

– E a identificação de ideias do raciocinador com o seu adversário depende, compreendo-o perfeitamente, da exatidão com que é avaliado o intelecto do adversário.

– Em termos práticos – prosseguiu Dupin – esse fato é a condição principal, e se o chefe de polícia e os seus subordinados se enganam frequentemente, isto se deve a essa falta de identificação, e em segundo lugar a uma apreciação inexata ou, melhor, a uma falta de apreciação da inteligência do adversário. Essas pessoas só veem as suas ideias engenhosas, e quando procuram alguma coisa escondida, pensam apenas nos meios que utilizariam para escondê-la. Os policiais têm razão ao pensar que o seu próprio engenho é uma fiel representação da multidão. Porém, quando têm de enfrentar um malfeitor especial cuja sagacidade é de espécie diferente da sua, este malfeitor, como é natural, engana-os.

Isto sucede sempre que a sua astúcia é maior que a dos adversários, e sucede também frequentemente mesmo quando é inferior. Os policiais não variam os seus métodos de investigação, e ainda menos quando são estimulados por algum caso extraordinário ou por uma recompensa pouco comum. Nestas circunstâncias exageram e levam ao extremo as suas velhas rotinas, mas sem modificar os princípios.

No caso de D__ por exemplo, que fizeram para alterar o sistema? Que significam todas aquelas perfurações, pesquisas, sondagens, exames ao microscópio e a divisão da superfície em centímetros quadrados, senão o exagero na prática desses princípios ou de vários princípios de investigação baseados numa ordem de ideias relativas ao engenho humano e àqueles a quem o delegado se acostumou na vasta rotina das suas funções?

Não vê que o delegado considera como fato demonstrado que todos os homens que pretendem esconder uma carta se servem, se não precisamente de um furo feito com uma broca na perna de uma cadeira, pelo menos de algum furo, de algum canto estranho que engendraram, o que também pertence à mesma linha de pensamento que o buraco feito com uma broca?

Você também se aperceberá facilmente de que esses esconderijos tão originais só se empregam nos casos correntes e não são adotados senão pelas inteligências vulgares, porque em todos os casos em que há objetos escondidos é sempre de admitir esta maneira rebuscada de os ocultar. Assim, a descoberta não depende das peripécias, mas simplesmente do cuidado, da paciência e da determinação dos investigadores. Ora bem, quando o caso é importante ou a recompensa considerável, veem-se fracassar todas estas boas qualidades. Agora compreenderá o que eu queria dizer ao afirmar que, se a carta roubada tivesse sido escondida dentro do raio das pesquisas do nosso chefe de polícia, por outras palavras, se o princípio inspirador da pessoa que escondeu estivesse compreendido nos limites dos princípios do delegado, este teria descoberto. G__. foi completamente ludibriado, e a causa primeira e original do seu fracasso assenta na suposição de que o ministro era um louco, porque tinha reputação de poeta. Todos os loucos são poetas, concluiu para si o delegado, que só é culpado de uma falsa colocação do termo médio do silogismo, daí deduzindo que todos os poetas são loucos.

– E o ministro é realmente poeta? Sei que são dois irmãos e ambos conquistaram certa reputação como escritores. Segundo creio, o ministro escreveu um livro muito notável sobre cálculo diferencial e integral. Assim, ele é matemático e não poeta.

– Engana-se. Conheço-o muito bem e sei que é poeta e matemático. Como poeta e matemático deve ter raciocinado corretamente, ao passo que o simples matemático teria raciocinado mal e cairia nas malhas do policial.

– Essa opinião – repliquei – deixa-me surpreendido e é desmentida pelo mundo inteiro. Espero que não tenha a intenção de reduzir a nada a ideia amadurecida ao longo dos séculos. A razão matemática é há muito considerada a razão por excelência.

– Pode-se apostar – disse Dupin, citando Chamfort – que toda a ideia pública, que toda a convenção aceite é um disparate, porque convém à maioria.

Os matemáticos, concordo, fizeram todo o possível para propagar o erro popular de que você falou e que, apesar de ter sido difundido como verdade, não deixa de ser um perfeito erro. Por exemplo, acostumaram--nos, com uma arte digna da melhor causa, a aplicar a palavra análise às operações algébricas. Os franceses são os primeiros responsáveis por essa trapaça científica. Porém, se se reconhece que os termos da linguagem têm

uma importância real, se as palavras fundamentam o seu valor na aplicação, oh!, então concedo que análise signifique álgebra, como geralmente em latim *ambitus* significa ambição, *relegio* significa religião e *homines honesti* quer dizer gente honrada.

– Vejo – observei – que você vai arranjar questões com muitos matemáticos de Paris.

– Dou-me conta do valor e dos resultados de uma razão cultivada por um processo especial que não seja a lógica abstrata e verifico, particularmente, o raciocínio extraído do estudo das matemáticas. A matemática é a ciência das formas e das quantidades e o raciocínio matemático não é outra coisa senão a simples lógica aplicada à forma e à quantidade. O grande erro consiste em supor que as verdades a que chamam puramente algébricas são verdades abstratas ou gerais. Este erro é tão grande que me espanta a unanimidade com que é acolhido.

Os axiomas matemáticos não são axiomas de uma verdade geral. O que é verdade no que se refere à forma ou à quantidade é frequentemente um erro grosseiro quando se refere, por exemplo, à moral. Nesta última é absolutamente falso que a soma das frações seja igual ao todo. Da mesma maneira, o axioma também não é correto na química. Tão pouco é certo na avaliação de uma força motriz, porque dois motores, cada um de uma dada potência, não têm, quando estão associados, uma potência igual à soma das potências tomadas separadamente. Há uma multiplicidade de verdades matemáticas que apenas são verdades nos limites da relação. Mas os matemáticos argumentam incorrigivelmente segundo essas verdades finitas, como se elas fossem de aplicação geral e absoluta, valor que, aliás, toda a gente lhes atribui.

Bryant, na sua muito notável *Mitologia*, cita uma fonte análoga de erros quando diz que, embora ninguém acredite nas fábulas do paganismo, nós próprios esquecemo-lo de tal maneira que algumas vezes extraímos deduções delas, como se fossem realidades vivas. Por outro lado, entre os nossos matemáticos, que são pagãos, há certas fábulas pagãs a que dão crédito e das quais extraíram conclusões, não devido a negligência, mas sim a uma incompreensível perturbação do cérebro.

Ora bem, nunca encontrei um matemático puro em quem tenha podido ter confiança fora das suas raízes e das suas equações; não conheci um único que ocultamente não aceite como verdade que $x2 + px$ não seja igual a q. Como experiência, diga a um desses senhores, se isso o distrair, que você crê na possibilidade de haver casos em que $x2 + px$ não seja absolutamente igual a *q,* e depois de lhe fazer compreender o que deseja, afaste-se o mais depressa possível, porque ele tentará com certeza bater-lhe.

– Isto quer dizer – continuou Dupin, enquanto eu fazia um grande esforço para não rir com as suas últimas observações – que se o ministro não fosse mais que um matemático, o delegado não teria tido necessidade de assinar este cheque. Conheço-o como matemático e como poeta e tinha tomado as minhas medidas tendo em conta a sua capacidade e tendo em conta as circunstâncias em que se encontrava. Sabia também que era um diplomata e um intrigante obstinado.

Ao refletir, cheguei à conclusão de que um homem assim devia estar a par dos procedimentos policiais. Evidentemente, devia ter previsto, e os acontecimentos provam-no, as armadilhas que lhe tinham sido preparadas e as pesquisas secretas no palacete. Estas frequentes ausências noturnas, que o nosso bom delegado acolheu como uma ajuda positiva para o seu futuro êxito e eu interpretei como artimanha para facilitar as investigações da polícia e para persuadi-la mais facilmente de que a carta não estava no palacete. Também compreendi que toda a série de ideias referentes aos princípios invariáveis da ação policial, ideias que lhe expliquei há pouco, não sem trabalho, também compreendi, dizia eu, que todas essas ideias deviam necessariamente ter surgido no espírito do ministro.

Por isso, este desdenharia necessariamente de todos os esconderijos vulgares. Um tal homem não podia duvidar que o esconderijo mais complicado, o recanto mais inacessível do seu palacete seria tão pouco secreto como uma antecâmara ou um armário, para os olhos, as agulhas, as brocas ou os microscópios do delegado. Finalmente, concluiu que devia utilizar um processo simples. Você deve lembrar-se, sem dúvida, das gargalhadas com que o delegado acolheu a ideia que lhe expus na nossa primeira entrevista: que se o mistério se apresentava tão intrincado devia ser por causa da sua simplicidade.

– Sim – respondi – lembro-me perfeitamente da hilaridade dele. Cheguei a pensar que ia ter um ataque de nervos.

– O mundo material – prosseguiu Dupin está cheio de analogias exatas com o imaterial, e é isso que dá um tom de verdade ao dogma da retórica que diz que uma metáfora ou uma comparação tanto podem dar força a um argumento como embelezar uma descrição.

O princípio da inércia, por exemplo, parece idêntico nas duas naturezas, físicas e metafísica. Um corpo grande põe-se em movimento com mais dificuldade que um corpo pequeno, e a quantidade de movimento está na razão direta desta dificuldade. Isto é tão positivo como esta proposição análoga: os intelectos de grande capacidade, que ao mesmo tempo são mais tempestuosos, mais constantes e mais acidentados nos seus movimentos que os de grau inferior, são aqueles que se movem com maior dificuldade e os que mais vacilam quando se põem em marcha. Outro exemplo: já reparou quais são as tabuletas das lojas que mais chamam a atenção?

– Nunca pensei nisso – confessei.

– Há um jogo de adivinhas em que se utiliza um mapa. Um dos jogadores pede a um dos presentes que descubra uma palavra dada, o nome de uma povoação, rio, estado ou império, enfim, de qualquer palavra que se encontra no mapa pormenorizado. Geralmente, o principiante neste gênero de jogo pretende atrapalhar o adversário dando-lhe para descobrir nomes escritos numa letra quase imperceptível. Porém, aqueles que se distinguem neste jogo escolhem palavras impressas em grandes letras, de um extremo ao outro do mapa. Estas palavras, tal como as tabuletas com letras enormes, escapam ao observador devido à sua excessiva evidência; e aqui o esquecimento material é precisamente análogo à desatenção moral de um espírito que deixa escapar as considerações demasiado palpáveis, tão evidentes que chegam a ser vulgares e importunas. Todavia, segundo parece, este é um caso que se encontra acima ou abaixo da inteligência do delegado. Este último nunca acreditaria que o ministro tivesse colocado a carta diante dos narizes dos policiais, para melhor a esconder.

– Quanto mais refletia, mais audacioso e brilhante me parecia o engenho de D__., que, desta maneira, tinha o documento ao alcance da mão, para fazer imediatamente uso dele e para mostrar ao chefe de polícia, de uma maneira decisiva, que o documento não se achava escondido nos limites de uma pesquisa vulgar e em regra, pois eu estava convencido de que o ministro havia recorrido ao procedimento mais engenhoso e mais simples, isto é, ao de não esconder a carta.

– Convencido disto, uma manhã pus uns óculos escuros e apresentei-me na casa do ministro, como que por casualidade. Como tinha suposto, encontrei o senhor D_. bocejando, sonolento, e declarando-se preocupado com um enorme aborrecimento. O senhor D__ é um dos homens mais enérgicos da atualidade, mas unicamente quando está seguro de não ser visto por ninguém.

– Para não ficar atrás, queixei-me da fraqueza dos meus olhos e da necessidade de usar óculos. Porém, através dos óculos inspecionava cuidadosa e minuciosamente toda a divisão, procedendo como se prestasse grande atenção às palavras do ministro.

– Prestei particular atenção a uma escrivaninha grande, junto de que ele estava sentado e em cima da qual se achavam misturados, numa estranha confusão, várias cartas e diversos outros papéis, assim como dois instrumentos musicais e alguns livros. Depois de um prolongado exame, feito com todo o tempo necessário, nada vi que pudesse despertar particularmente as minhas suspeitas.

– Finalmente, os meus olhos, ao percorrerem a sala, detiveram-se num modesto porta-cartas com enfeites dourados, pendurado por cima da lareira por meio de uma fita azul bastante antiga. O porta-cartas, que dispunha de três ou quatro divisões, continha cinco ou seis cartões de visita e uma única carta. Esta última encontrava-se muito suja, amarrotada e quase rasgada ao meio, como se tivessem pensado em rasgá-la completamente, como se faz a uma missiva sem interesse, mas depois houvessem mudado de ideia.

– Esta carta exibia um grande monograma negro de D__ e era dirigida ao próprio ministro. O endereço parecia escrito por mão feminina, com letra muito pequena. Aparentemente, a carta havia sido colocada negligentemente num dos compartimentos do porta-cartas.

– Mal olhei a carta, deduzi imediatamente que era aquela que eu procurava. O aspecto dela era absolutamente diferente do que o chefe de polícia me descreveu. Neste, o monograma era negro e grande; no outro, pequeno e encarnado, com as armas ducais da família S... Nesta a escrita era miúda e feminina; na outra, o endereço tinha o nome de uma personagem real e a letra era firme e vigorosa. As duas cartas apenas se pareciam num ponto: as dimensões. Porém, o caráter exagerado das diferenças, particularmente a sujidade, e o estado do papel, amachucado e rasgado, tão em contraste com os verdadeiros costumes metódicos de D__ denunciavam a intenção de a mostrar como um documento sem valor. Tudo isto, juntamente com o fato de o documento se achar diante dos olhos de todos os visitantes e por concordar com as minhas deduções anteriores, parecia corroborar as minhas suspeitas.

E Dupin continuou seu relato:

– Prolonguei a minha visita o máximo tempo possível e enquanto mantinha uma discussão muito viva com o ministro acerca de um problema de grande interesse para ele, não deixei de observar a carta, refletindo sobre o seu aspecto exterior e a maneira como tinha sido posta no porta-cartas e fiz uma descoberta que eliminou qualquer pequena dúvida que ainda me restasse. Analisando os rebordos do papel, notei que estavam mais estragados que numa carta em idênticas circunstâncias, isto é, via-se claramente que tinha sido trabalhada. A carta, de papel grosso, apresentava o aspecto de ter sido aberta, descolada e novamente dobrada, pelos mesmos vincos, mas em sentido inverso. Esta descoberta foi o bastante. Desde então, não tive mais dúvidas de que a carta havia sido voltada como uma luva, colada de novo e lacrada segunda vez. Pedi licença para me retirar, tendo o cuidado de deixar esquecida em cima da escrivaninha uma cigarreira de ouro.

– Na manhã seguinte fui buscar a cigarreira e retomamos animadamente a discussão da véspera. Enquanto conversávamos, ouviu-se na rua uma forte detonação, seguida de gritos e exclamações de uma multidão assustada. O ministro D__ correu para uma janela, abriu-a e olhou para a rua. Ao mesmo tempo, eu me dirigi ao porta-cartas, peguei a carta, meti-a no bolso e substituí por outra, uma cópia (quanto ao exterior) que tinha preparado na minha casa, falsificando o monograma do senhor D__ com uma espécie de sinete de miolo de pão.

O tumulto na rua tinha sido provocado pelo insensato capricho de um homem armado de uma espingarda, que havia disparado a arma no meio de uma multidão de mulheres e crianças. Enfim, como a arma não estava carregada com cartuchos com balas, consideraram o indivíduo um louco ou um bêbado e o deixaram seguir o seu caminho. Depois de o homem se retirar, o senhor D__ afastou-se da janela, onde eu havia ido fazer-lhe companhia depois de ter-me apoderado da preciosa carta. Despedi-me dele pouco depois. O pretenso louco era um homem pago por mim. – contou Dupin.

– Mas que pretendia você – perguntei ao meu amigo – ao substituir a carta por outra falsificada? Por que não se apoderou dela quando da sua visita, sem outras precauções?

– O senhor D__ – respondeu Dupin – é capaz de tudo e, além disso, é um homem vigoroso. Por outro lado, tem servidores completamente dedicados à sua causa. Se eu tivesse posto em prática a extravagante tentativa que você me sugeriu, não teria saído vivo da casa dele e o bom povo de Paris nunca mais ouviria falar em mim. Ora bem, à parte essas considerações, tinha um objetivo particular. Você já conhece as minhas simpatias políticas e neste caso procedi como partidário da dama em questão, que desde há dezoito meses está nas mãos do ministro. Agora, porém, inverteram-se os papéis, e como ele ignora que a carta desapareceu da sua casa, quererá continuar a impor-se. É quase certo que, ao tentar o próximo golpe, consumará a sua ruína política. A sua queda será tão brusca como ridícula. Fala-se bastante descuidadamente do *facilis descensus Averni*[1] mas, quanto a ascensões, pode dizer-se o mesmo que a Catalani dizia do canto: é mais fácil subir que descer. O senhor D_ é um verdadeiro *monstrum horrendum,* um homem de gênio sem princípios. No entanto, confesso que não me desagradaria conhecer os pensamentos dele quando, desafiado pela personagem a quem o delegado chamava *uma certa pessoa,* se vir obrigado a abrir a carta que eu lhe deixei no porta-cartas.

– Quê?! Você escreveu alguma coisa na carta falsa?

– Pois claro! Não me pareceu bem deixar o papel em branco. Isso pareceria um insulto. Certa vez, em Viena, o senhor D_. pregou-me uma valente partida e reagi, dizendo-lhe, com um sorriso, que não me esqueceria. Assim, como estava convencido de que ele sentiria curiosidade em saber quem tinha sido a pessoa que lhe tinha trocado a carta, pensei que era lamentável não lhe deixar um indício. Como o ministro conhece a minha letra, copiei, no meio da carta os seguintes versos:

...desígnio tão funesto,
Se não é digno de Atreu, é digno de Tiestes.

Você encontrará isto no *Atreu,* de Crébillon![2]

---

1 *Significa que o caminho do mal é fácil de trilhar. (N. d. T.)*

2 *Versos de Crébillon, dramaturgo francês inspirado pela mitologia, se referem à tragédia grega. Atreu e Tiestes, dois irmãos que, brigavam sempre. Atreu mata seus sobrinhos e sobrinhas, filhos e filhas de Tiestes, os cozinha e os oferece a Tiestes numa refeição, antes de apresentar-lhe suas cabeças ensanguentadas. (N. d. T.)*

O POÇO E O PÊNDULO

The Pit and the Pendulum, 1842

Impia tortorum longos hic turba furores.
Sanguinis innocui, non satiata, aluit.
Sospite nunc patriá, fracto nunc funeris antro,
Mors ubi dira fuit vita salusque patente.

s versos latinos foram compostos para a porta de um mercado que devia ser erigido no local do antigo Clube dos Jacobinos em Paris, e dizem:

"O grupo ímpio de torcionários alimentava as suas longas fúrias do sangue dos inocentes e não ficava satisfeito. Agora, que a pátria está salva, o antro da morte foi destruído; onde era a terrível morte, surgirá a vida e a saúde."

Estava mal – mal de morte com esta longa agonia. Quando, finalmente, me desamarraram e permitiram que me sentasse, foi como se eu tivesse perdido os sentidos. A sentença – a terrível sentença de morte – foi a última frase nítida que me chegou aos ouvidos. Depois, o som das vozes inquisitoriais pareceu afogar-se no indefinido zumbido de um sonho. O som acordava no meu espírito a ideia de rotação – talvez porque a minha imaginação a associava ao ruído que faz a roda do moinho. Mas isso durou muito pou-

co tempo. Porque de repente não ouvi mais nada. Contudo, ainda durante algum tempo, vi; mas com que terrível exagero! Vi os lábios dos juízes das togas negras. Pareceram-me brancos – mais brancos que a folha em que escrevo estas palavras – e grotescos de tão finos; finos pela intensidade da sua expressão de firmeza – de irrevogável resolução –, de desprezo absoluto pela dor humana. Percebi que os decretos daquilo que para mim era o destino continuavam a brotar desses lábios. Vi-os torcerem-se em frases de morte. Vi-os moldarem as sílabas do meu nome, e estremeci porque nenhum som sucedia ao movimento. Vi também, durante alguns momentos de delírio e horror, a ondulação mole e quase imperceptível dos cortinados negros que revestiam as paredes da sala.

E, então, a minha vista caiu sobre os sete grandes candelabros colocados sobre a mesa. A princípio surgiram-me como o aspecto da caridade, e pareceram-me esguios anjos brancos que haveriam de salvar-me. Num repente, uma náusea mortal invadiu a minha alma e senti tremer todas as fibras do meu ser como se tivesse tocado o fio de uma pilha galvânica, ao mesmo tempo que as formas angelicais se tornavam espectros sem sentido com cabeças de chamas e senti que deles não havia que esperar ajuda.

Como uma rica nota musical, a ideia de como devia ser doce o repouso que se encontra no túmulo entrou na minha imaginação. O pensamento veio suave e furtivamente e pareceu-me ter passado muito tempo até poder ter dele uma apreciação completa. No momento em que o meu espírito se apoderou totalmente da ideia, as figuras dos juízes desapareceram da minha frente como por magia. Os grandes candelabros reduziram-se a nada, as suas chamas apagaram-se completamente e sobreveio a negrura das trevas. Todas as sensações pareceram engolidas num turbilhão enlouquecedor como a queda da alma no Hades. E o universo não foi mais que silêncio, imobilismo e noite.

Eu tinha desmaiado, mas não havia perdido totalmente a consciência. Não tentarei definir nem descrever o que dela restou. Todavia, nem tudo estava ainda perdido. No sono mais profundo – não! No delírio – não! Num desmaio – não! Na morte – não! Nem mesmo no túmulo tudo está perdido. De outra forma, não haveria imortalidade para o homem. Ao despertar do mais profundo dos sonos, quebramos a teia delgada de algum sonho. Um segundo depois, porém, por mais fraca que tenha sido essa teia, não nos lembramos de ter sonhado. No retorno à vida, depois de um desmaio, há duas fases: em primeiro lugar, o sentimento da existência mental ou espiritual; em segundo, o da existência física. Parece provável que se, ao atingirmos a segunda fase, pudéssemos evocar as impressões da primeira, verificaríamos serem elas ricas em recordações do abismo transposto. E esse abismo – que é? Como distinguir, ao menos, suas sombras das do túmulo? Mas se, por um lado, as impressões daquilo que denominei a primeira fase não são reevocadas à vontade, por outro, não é certo que, depois de longo intervalo, elas aparecem espontaneamente, enquanto nos maravilhamos, conjecturando de onde poderiam ter vindo?

Aquele que nunca desmaiou jamais será capaz de descobrir palácios estranhos e rostos esquisitamente familiares em brasas ardentes; jamais contemplará a flutuar, no meio do espaço, as tristes visões que a maioria não pode distinguir; jamais meditará sobre o perfume de alguma flor desconhecida; jamais sentirá seu cérebro perturbado pelo sentido de alguma cadência musical que, até então, não lhe detivera a atenção.

Entre as frequentes e intensas tentativas de recordar, entre as lutas encarniçadas para recolher alguns vestígios daquele estado de aparente aniquilamento no qual minha alma havia mergulhado, momento houve em que eu sonhava ser bem-sucedido; houve períodos breves, muito breves, quando conjurei lembranças que a lucidez de uma época posterior me assegura ter conexão tão somente com aquele estado de aparente aniquilamento. Essas sombras de memória falam indistintamente de altas figuras que se erguiam e me arrastavam em silêncio... para baixo, cada vez mais baixo, até que uma odiosa vertigem me oprimiu à simples ideia daquela descida interminável. Falam-me, também, de um vago horror no peito, por causa daquele mesmo sossego não natural do coração. Depois, sobrevém uma sensação de súbita imobilidade em todas as coisas, como se aqueles que me transportavam – cortejo espectral! – tivessem, em sua descida, ultrapassado os limites do ilimitado e se detido em razão do extremo cansaço da tarefa.

Em seguida, evoco a monotonia e a humildade; e, depois, tudo é loucura – a loucura de uma memória que se agita entre coisas repelentes.

De repente voltaram à minha alma o movimento e o som – o tumultuoso movimento do coração, e, em meus ouvidos, o som de suas batidas. Depois, uma pausa em que tudo desaparece. Depois, novamente o som, o movimento e o tato – uma sensação formigante invadindo-me o corpo. Depois, a simples consciência da existência, sem pensamentos – condição que durou muito tempo. Depois, bem de repente, *o* pensamento e um terror arrepiante, e um esforço ardente de compreender meu verdadeiro estado. Depois, um forte desejo de recair na insensibilidade. Depois, uma precipitada revivescência da alma, e um esforço bem-sucedido de mover-me. E, agora, a plena lembrança do processo, dos juízes, da sentença, da exaustão, do desmaio. Por fim, completo esquecimento de tudo quanto se seguiu; de tudo que um dia posterior e a extrema ardência de esforços me habilitaram a vagamente recordar.

Até aqui, não tinha aberto os olhos. Sentia que estava deitado de costas, desamarrado. Estiquei a mão, e ela caiu pesadamente sobre algo úmido e duro. Deixei que ela ali ficasse alguns minutos, enquanto me esforçava por descobrir onde poderia estar e o que eu poderia ser. Ansiava por servir-me dos olhos, mas não ousava fazê-lo. Receava o primeiro olhar para os objetos que me cercavam. Não que eu temesse olhar para coisas horríveis, mas horrorizava-me o receio de que nada houvesse para ver. Por fim, com fero desespero no coração, abri rapidamente os olhos. Meus piores pensamentos, então, confirmaram-se. O negror da noite eterna rodeava-me. Esforcei-me por respirar. A intensidade das trevas parecia oprimir-me e sufocar-me. A atmosfera estava intoleravelmente confinada. Conservei-me ainda tranquilamente deitado, fazendo esforços para exercitar minha razão. Recordei os processos inquisitoriais e tentei, a partir desse ponto, deduzir minha verdadeira condição.

A sentença fora pronunciada; parecia-me que um longuíssimo intervalo de tempo havia, desde então, decorrido. Contudo, nem por um momento supus que estivesse realmente morto. Tal suposição, malgrado o que lemos em romances, é de todo incompatível com a existência real – mas, onde estava eu e em que estado me encontrava? Sabia que os condenados à morte pereciam comumente em autos de fé, e um deles ocorrera bem na noite do dia do meu julgamento. Tinha eu sido reenviado para meu calabouço à espera do próximo sacrifício, que não seria realizado senão dali a muitos meses? Vi logo que não podia ser isso. As vítimas haviam sido requisitadas imediatamente. Além do mais, meu calabouço, assim como todas as celas de condenados em Toledo, tinha chão de pedra e não era inteiramente privado de luz.

De repente, uma terrível ideia lançou-me o sangue em torrentes ao coração e, por um breve período de tempo, mais uma vez recaí na insensibilidade. Voltando a mim, pus-me de pé de um salto, tremendo convulsivamente em todas as fibras. Estendi os braços de forma desordenada, acima e em torno de mim, em todas as direções. Não senti nada; no entanto, temia dar um passo, com receio de ser impedido de fazê-lo pelas paredes de um túmulo. Transpirava por todos os poros, e o suor se detinha em grossas bagas frias em minha fronte. A agonia da incerteza tornou-se, afinal, intolerável e, com cautela, movi-me para diante, com os braços estendidos, os olhos saltando-me das órbitas, na esperança de apanhar algum débil raio de luz. Dei vários passos, mas tudo era ainda escuridão e vazio. Respirei mais livremente. Parecia evidente que minha sorte não era, pelo menos, a mais odiosa das mortes.

Como continuasse ainda a caminhar cautelosamente para frente, vieram-me em tropel à memória mil vagos boatos a respeito dos horrores de Toledo. Narravam-se estranhas coisas dos calabouços (eu sempre as considerara fábulas), coisas, no entanto, estranhas e espantosas demais para serem repetidas, a não ser num sussurro. Estava eu destinado a morrer de fome naquele mundo subterrâneo das trevas? Ou que sorte, talvez mesmo mais temível, me esperava? Conhecia muito bem o caráter de meus juízes para duvidar de que o resultado seria a morte, e morte de insólita acritude. O modo e a hora eram tudo que me ocupava ou me perturbava.

Minhas mãos estendidas encontraram, afinal, um sólido obstáculo. Era uma parede, aparentemente de pedra, muito lisa, viscosa e fria. Fui acompanhando-a, caminhando com toda a cuidadosa desconfiança que certas narrativas antigas haviam me inspirado. Esse processo, porém, não me proporcionava meios de verificar as dimensões do calabouço, pois eu podia fazer-lhe o percurso e voltar ao ponto de onde partira sem dar por isso, tão perfeitamente uniforme parecia a parede. Assim sendo, procurei a faca que havia estado em meu bolso quando me levaram à sala inquisitorial, mas ela não estava mais lá. Haviam trocado minhas roupas por uma camisola de sarja grosseira. Pensei em enfiar a lâmina em alguma pequena fenda da parede, de modo a identificar meu ponto de partida. A dificuldade, não obstante, era apenas vulgar, embora, na desordem de minha imaginação, parecesse a princípio insuperável. Rasguei uma parte do *debrum* da roupa e coloquei o fragmento bem estendido em um ângulo reto com a parede. Ao tatear meu caminho em torno da prisão, não poderia deixar de encontrar aquele trapo ao completar o circuito. Pelo menos, assim pensava eu, mas não havia contado com a extensão do calabouço, nem com minha própria fraqueza. O chão estava úmido e escorregadio. Cambaleante, caminhei para a frente durante algum tempo, mas tropecei e caí. Minha excessiva fadiga induziu-me a permanecer deitado, e logo o sonho se apoderou de mim naquele estado.

Ao despertar e estender um braço, achei a meu lado um pão e uma moringa d'água. Estava demasiado exausto para refletir sobre essa circunstância, mas comi e bebi com avidez. Logo depois, recomecei minha volta em torno da prisão. Até o momento em que tinha caído, havia eu contado cinquenta e dois passos e, ao recomeçar minha caminhada, contei quarenta e oito mais. Havia, pois, ao todo, uns cem passos. Ao considerar dois passos para cada metro, presumi que o calabouço tivesse uns cinquenta metros. Encontrei, porém, muitos ângulos na parede e, desse modo, não consegui ter ideia da forma que era o sepulcro. Não tinha grande interesse – nem certamente esperança – naquelas pesquisas, mas vaga curiosidade me impelia a continuá-las.

Ao deixar a parede, resolvi atravessar a área do recinto. A princípio, procedi com extrema cautela, pois o chão, embora parecesse de material sólido, era traiçoeiro e lodoso. Apesar disso, tomei coragem e não hesitei em caminhar com firmeza, tentando atravessar em linha reta tanto quanto possível. Havia avançado uns dez passos dessa maneira, quando o resto do *debrum* rasgado de minha roupa se enroscou em minhas pernas. Pisei nele e caí violentamente de bruços.

Na confusão que se seguiu à minha queda, não percebi uma circunstância um tanto surpreendente, que, contudo, poucos segundos depois, e enquanto jazia ainda prostrado, reteve minha atenção. Era a seguinte: meu queixo pousava sobre o chão da prisão, mas meus lábios e a parte superior de minha cabeça, embora aparentemente colocados em menor elevação que o queixo, nada tocavam. Ao mesmo tempo, minha testa parecia banhada de um vapor viscoso, e o cheiro característico de fungos podres subiu-me às narinas. Estendi o braço e estremeci ao descobrir que havia caído mesmo à beira de um poço circular, cuja fundura, sem dúvida, não tinha meios de avaliar no momento. Ao apalpar a parede logo abaixo da borda, consegui deslocar um pequeno fragmento e o deixei cair dentro do abismo. Durante muitos segundos, prestei ouvidos a suas repercussões, ao bater de encontro aos lados da abertura durante a queda. Por fim, ouvi um lúgubre mergulho n'água, seguido de ruidosos ecos. No mesmo momento, ouviu-se um som semelhante ao de uma porta, tão depressa aberta quão rapidamente fechada acima de minha cabeça, enquanto um fraco e súbito clarão luzia em meio da escuridão e, com a mesma rapidez, desaparecia.

Percebi claramente o destino que me havia sido preparado e congratulei-me com o acidente oportuno que me havia salvo. Um passo a mais, e o mundo não mais me veria. E a morte, por pouco evitada, era daquela mesma natureza que eu considerava fabulosa e absurda nas histórias a respeito da Inquisição. Para as vítimas de sua tirania, havia a escolha da morte por meio das mais cruéis agonias físicas, ou da morte mediante os mais odiosos horrores morais. Eu havia sido reservado para esta última.

O longo sofrimento tinha relaxado meus nervos, a ponto de eu tremer ao som de minha própria voz e me tornar, sob todos os aspectos, material apropriado para as espécies de tortura que me aguardavam. Com os membros todos trêmulos, tateei meu caminho de volta à parede, resolvido a ali perecer antes que arriscar-me aos terrores dos poços, que minha imaginação agora desdobrava em muitos, espalhados em todas as direções, no calabouço. Em outro estado de espírito, poderia ter tido a coragem de dar fim imediato às minhas misérias, deixando-me cair dentro de um daqueles abismos. Mas, naquele momento, era eu o mais completo dos covardes. Tampouco podia esquecer o que havia lido a respeito daqueles poços: que a súbita extinção da vida não estava incluída nos horrendos planos dos inquisidores.

A agitação do espírito conservou-me desperto por muitas e longas horas. Finalmente, mergulhei de novo no sono. Ao despertar, encontrei a meu lado, como da outra vez, um pão e uma moringa d'água. Sede ardente me consumia, e esvaziei a vasilha de um trago. A água deveria conter alguma droga, porque, tão logo terminei de bebê-la, senti-me irresistivelmente sonolento. Um sono profundo se apoderou de mim – sono semelhante ao da morte. Quanto tempo dormi, não sei dizer, mas quando, mais uma vez, descerrei os olhos, os objetos que me cercavam estavam visíveis. Graças a uma luz viva e sulfúrea, cuja origem não pude a princípio determinar, pude ver a extensão e o aspecto da prisão.

Enganei-me, e muito, quanto a seu tamanho. O circuito completo de suas paredes não excedia vinte e cinco metros. Por alguns minutos, esse fato originou em meu espírito um mundo de inútil perturbação; inútil, de fato, pois que coisas havia de menor importância nas terríveis circunstâncias que me cercavam que as simples dimensões de meu calabouço? Mas minha alma interessava-se com ardor por bagatelas, e ocupei-me em tentar explicar o erro que havia cometido nas minhas medidas. A verdade, afinal, surgiu luminosa. Em minha primeira tentativa de exploração, havia eu contado cinquenta e dois passos até o momento em que caí. Deveria estar, então, à distância de um passo, ou dois, do pedaço de sarja. Portanto, havia quase completado o circuito do túmulo. Adormeci então e, ao acordar, devo ter voltado sobre meus passos anteriores, supondo assim que a volta da prisão era quase o dobro do que era na realidade. Minha confusão de espírito impediu-me de observar que havia começado a volta com a parede à esquerda e a terminado com a parede à direita.

Novamente, enganei-me. Desta vez, a respeito da forma do recinto. Ao tatear meu caminho, descobri muitos ângulos, o que me levou a pensar em grande irregularidade, tão poderoso é o efeito da escuridão absoluta sobre alguém que desperta do letargo ou do sono. Os ângulos eram apenas os de umas poucas e ligeiras depressões, ou nichos, a intervalos desiguais. Era quadrada a forma geral da prisão. O que eu tinha tomado por alvenaria parecia, agora, ser ferro ou qualquer outro metal, em enormes chapas, cujas suturas ou juntas ocasionavam aquelas depressões. Toda a superfície desse recinto metálico estava grosseiramente pintada com horríveis e repulsivos emblemas a que a superstição sepulcral dos monges tem dado origem.

Figuras de demônios em atitudes ameaçadoras, com formas de esqueletos, e outras imagens mais realisticamente apavorantes se espalhavam por todas as paredes, desfigurando-as. Observei que os contornos daquelas monstruosidades eram bem distintos, mas que as cores pareciam apagadas e borradas, como se por efeito da atmosfera úmida. Descobri, também, que o chão era de pedra. No centro, escancarava-se o poço circular, de onde havia eu escapado, mas era o único que existia no calabouço.

Notei tudo isso indistintamente e com bastante esforço, pois minha situação tinha sofrido grande alteração durante o sono. Encontrava-me agora deitado de costas e bem esticado, numa espécie de armação de madeira de pouca altura. Estava firmemente amarrado a ela por uma correia comprida. Enrolava-se em várias voltas em torno de meus membros e de meu corpo, deixando em liberdade apenas a cabeça e o braço esquerdo, permitindo-me somente à força de muito empenho suprir-me da comida contida em um prato de barro, que estava a meu lado no chão. Para meu horror, vi que a moringa d'água tinha sido retirada. Digo para meu horror porque intolerável sede me consumia. Essa sede, parecia ser intenção de meus perseguidores exacerbá-la, pois a comida do prato era carne fortemente temperada.

Ao olhar para cima, examinei o teto de minha prisão. Tinha uns dez ou doze metros de altura e era construído de maneira idêntica à das paredes laterais. Em um de seus painéis, uma figura bastante singular absorveu-me toda a atenção. Era a pintura do Tempo, tal como é comumente representado, salvo por, em lugar de uma foice, segurava algo que, a uma olhada casual, supus ser o desenho de um enorme pêndulo, como os que vemos nos relógios antigos. Contudo, havia algo na aparência daquela máquina que me levou a observá-la mais atentamente. Enquanto a contemplava lá em cima, pois se encontrava bem por cima de mim, tinha a impressão de vê-la mover-se. Um instante depois, constatei esse movimento. Seu balanço era curto e vagaroso. Contemplei-o por algum tempo, mais maravilhado que amedrontado. Enfim, cansado de observar esse monótono movimento, passei a reparar nos outros objetos que havia na cela.

Um leve ruído chamou-me a atenção e, ao olhar para o chão, vi passar vários ratos enormes. Haviam saído do poço, que se achava bem à vista, à minha direita. Instantaneamente, subiram aos bandos, apressados e com olhos vorazes, atraídos pelo cheiro da carne. Por isso, era preciso muito empenho para afugentá-los.

Provavelmente, tenha passado uma meia hora, ou até uma hora – eu só podia presumir o tempo –, quando ergui de novo os olhos para cima. O que vi, então, confundiu-me e espantou-me. O balanço do pêndulo tinha aumentado de quase um metro em extensão. Como consequência natural, sua velocidade era, também, muito maior. Mas o que mais me perturbou foi a impressão de que ele havia imperceptivelmente descido. Muito assustado, percebi que sua extremidade inferior era formada por uma lua crescente de aço cintilante com cerca de trinta centímetros de comprimento, de ponta a ponta; essas pontas voltavam-se para cima, e o gume de baixo era evidentemente tão afiado quanto o de uma navalha. Igualmente como uma navalha, parecia pesado e maciço, estendendo-se para cima, a começar do gume, numa sólida e larga estrutura. Estava ligado a uma pesada haste de bronze, e o conjunto assoviava ao balançar-se no ar.

Diante disso, não mais pude duvidar da sorte para mim preparada pela habilidade monacal em torturas. Minha descoberta do poço era conhecida dos agentes da Inquisição – o poço cujos horrores tinham sido destinados a um rebelde tão audacioso como eu; o poço, tipicamente infernal e considerado, segundo os boatos, o ápice de todos os seus castigos. Pelo mais fortuito dos incidentes, tinha eu evitado a queda dentro dele, e sabia que a surpresa ou a armadilha da tortura constituíam parte importante de todo o grotesco daquelas mortes em masmorra. Não tendo caído, deixava de fazer parte do plano demoníaco atirar-me no abismo e, dessa forma – não havendo alternativa –, execução diferente, mais benigna, me aguardava. Mais benigna! Quase sorri em minha agonia ao pensar no uso de tal termo.

De que adianta falar das longas, longas horas de horror mais que mortal durante as quais contei as precipitadas oscilações da lâmina? Centímetro por centímetro, linha a linha, com uma descida somente apreciável a intervalos que pareciam séculos – para baixo, cada vez mais para baixo ela descia! Dias se passaram – pode ser que se tenham passado muitos dias – até que ela se balançasse tão perto de mim que me abanava com seu sopro ácido. O odor da lâmina afiada entrava-me pelas narinas. Rezei, fatiguei os céus com minhas preces, rogando que descesse mais rápida. Em louco frenesi, lutei por erguer-me ao encontro do balanço da terrível cimitarra. Mas, depois, acalmei-me de repente e fiquei a sorrir para aquela morte cintilante, como uma criança diante de um brinquedo raro.

Mais adiante, outro intervalo de completa insensibilidade. Foi curto, pois, voltando à vida, notei não ter havido descida perceptível no pêndulo. Mas pode ter sido longo, já que eu sabia haver demônios que tomavam nota de meu desmaio e que podiam, à vontade, ter detido a oscilação. Ao recobrar os sentidos, senti-me também muito doente e fraco – quanto, nem seria possível exprimi-lo –, como em consequência de longa inanição. Mesmo em meio às agonias daquele período, a natureza humana ansiava por alimento. Com penoso esforço, estendi o braço esquerdo o mais longe que os laços permitiam, e apoderei-me dos poucos restos que os ratos me haviam deixado. Ao introduzir um pedaço de alimento entre os lábios, atravessou-me o espírito uma imprecisa alegria de esperança. Todavia, que tinha eu a ver com a esperança? Era, como disse, uma ideia imprecisa, dessas que muitos têm e que nunca se completam. Senti que era de alegria – de esperança; mas também senti que perecera ao formar-se. Em vão lutei para aperfeiçoá-la, para reconquistá-la. O prolongado sofrimento tinha quase aniquilado todas as minhas faculdades comuns de pensamento. Eu era um imbecil – um idiota.

O pêndulo oscilava em ângulos retos ao meu comprimento. Percebi que o crescente estava disposto para cruzar a zona do coração. Desgastaria a sarja de minha roupa – voltaria e repetiria suas operações – de novo, e ainda de novo. Não obstante o balanço terrivelmente largo – de nove ou dez metros – e o vigor sibilante da descida, suficiente para cortar até mesmo aquelas paredes de ferro, o corte de minha roupa seria tudo quanto, durante alguns minutos, ele conseguiria. Diante desse pensamento, fiz uma pausa. Não ousava ir além dessa reflexão. Demorei-me nela com pertinácia de atenção, como se, assim pausando, pudesse deter ali a descida da lâmina. Obriguei-me a meditar sobre o som a ser produzido pelo crescente ao passar através de minha roupa, sobre a característica e arrepiante sensação que a fricção do pano produz nos nervos. Meditei sobre todas essas frivolidades, até me rilharem os dentes.

Mais baixo – cada vez mais baixo, ele descia com firmeza. Sentia um frenético prazer em contrastar sua velocidade vertical com a velocidade lateral. Para a direita, para a esquerda, para lá e para cá, com o guincho de um espírito danado! Rumo a meu coração com o passo furtivo do tigre! Alternadamente eu ria e urrava, conforme uma ou outra ideia se fizesse predominante.

Para baixo – segura e inexoravelmente para baixo! Oscilava a menos de dez centímetros de meu peito! Eu lutava violenta e furiosamente para libertar meu braço esquerdo, que só estava livre do cotovelo até a mão. Podia apenas, com grande esforço, levar a mão à boca, desde o prato que estava a meu lado, e não mais. Se tivesse podido quebrar as amarras acima do cotovelo, teria segurado e tentado deter o pêndulo. Seria o mesmo que tentar deter uma avalanche!

Para baixo – fatal e incessantemente para baixo! Eu arfava e debatia-me a cada oscilação. Encolhia-me convulsivamente a cada balanço. Meus olhos acompanhavam os vaivéns, para cima e para baixo, com a avidez do mais insensato desespero; fechavam-se num espasmo no momento de descida, embora a morte tivesse sido um alívio, e oh! Quão inefável! Entretanto, todos os meus nervos tremiam ao pensar quão mínima descaída da máquina bastaria para precipitar aquele machado, agudo e cintilante, sobre meu peito. Era a esperança que fazia tremerem os meus nervos, que fazia meu corpo sentir calafrios. Era a esperança – a esperança que triunfa sobre o suplício, que sussurra aos ouvidos dos condenados à morte até mesmo nos calabouços da Inquisição!

Deduzi que umas dez ou doze oscilações poriam a lâmina em contato com minhas roupas e, a essa observação, veio-me de repente ao espírito toda a aguda e condensada calma do desespero. Pela primeira vez em muitas horas – ou talvez em muitos dias – pensei. Percebi então que a correia que me envolvia era inteiriça. Não estava amarrada por cordas separadas. O primeiro golpe do crescente navalhante, através de qualquer porção da correia, a cortaria de modo tal que eu poderia arrancá-la de mim com a mão esquerda. Mas que terrível seria, nesse caso, a proximidade da lâmina! Quão mortal seria o resultado do mais leve movimento! Seria crível, além disso, que os agentes do inquisidor não tivessem previsto e prevenido essa possibilidade? Seria provável que a correia cruzasse meu peito no percurso do pêndulo? Receando ver frustrada minha fraca e, ao que parecia, última esperança, elevei a cabeça o bastante para conseguir ver distintamente o meu peito. A correia cingia apertadamente meus membros e meu corpo, em todas as direções, exceto no caminho do crescente assassino.

Mal deixara cair a cabeça de novo em sua posição primitiva, cintilou em meu espírito algo que não saberia melhor definir senão como a metade informe daquela ideia de libertação a que já aludi antes, e da qual apenas uma metade flutuava, indeterminada, em meu cérebro quando levei a comida aos lábios abrasados. A ideia inteira fazia-se agora presente – fraca, apenas razoável, apenas definida, mas, mesmo assim, inteira. Imediatamente, detive-me a tentar executá-la com a intensa energia do desespero.

Durante muitas horas, a vizinhança imediata da baixa armação de madeira sobre a qual eu jazia esteve literalmente fervilhando de ratos. Eram ferozes, audaciosos, vorazes. Seus olhos vermelhos chispavam sobre mim, como se esperassem apenas minha imobilidade para fazerem de mim sua presa. E pensei:

– A que espécie de alimento estão eles acostumados no poço?

Apesar de todos os meus esforços para impedi-los, tinham devorado tudo, exceto um restinho do conteúdo do prato. Eu havia incorporado o hábito de agitar a mão num movimento de vaivém ou de balança em torno do prato, mas a uniformidade inconsciente do movimento acabou por privá-lo de seu efeito. Em sua voracidade frequentemente ferravam as agudas presas em meus dedos. Com as migalhas da carne gordurosa e temperada que ainda restavam, esfreguei toda a correia, até onde podia alcançar. Depois, erguendo a mão do chão, permaneci imóvel, sem respirar.

A princípio, os vorazes animais ficaram espantados e terrificados com a mudança, com a cessação do movimento. Recuaram assustados; muitos procuraram o poço. Mas isso foi só por um momento. Eu não contava em vão com sua voracidade. Como eu permanecia imóvel, um ou dois dos mais audazes pularam sobre o cavalete e farejaram a correia. Isso pareceu ser o sinal para uma corrida geral. Do poço, precipitaram-se tropas frescas. Agarraram-se à madeira, correram sobre ela e saltaram, às centenas, por cima de meu corpo. Não os perturbou em nada o movimento cronométrico do pêndulo. Evitando-lhe os golpes, ocuparam-se com a correia besuntada de gordura. Apertavam-se uns aos outros, formigavam sobre mim em pilhas sempre crescentes. Torciam-se sobre minha garganta; seus lábios frios procuravam os meus; eu estava semissufocado pelo peso dessa multidão. Um nojo, para o qual o mundo ainda não inventou nome, arfava-me o peito e me enregelava o coração com pesada viscosidade. Mais um minuto, porém, e senti que a luta estaria terminada. Percebi com clareza o afrouxamento da correia. Sabia que, em mais de um lugar, ela já devia estar cortada. Com resolução sobre-humana, permaneci imóvel.

Enfim, nem errei em meus cálculos, nem suportei tudo aquilo em vão. Afinal, senti que estava livre. A correia pendia em tiras do meu corpo. Mas o movimento do pêndulo já me comprimia o peito. Dividi a sarja de minha roupa. Cortei a camisa por baixo dela. Mais duas vezes oscilou ele, e uma aguda sensação de dor atravessou-me cada um dos nervos. Chegou, porém, o momento de escapar. A um gesto da mão, meus libertadores fugiram em tumulto. Com um movimento firme – prudente, oblíquo e lento – de encolhimento, deslizei para fora dos laços da correia e do alcance da cimitarra. Naquele momento, ao menos, eu estava livre.

Livre! E nas garras da Inquisição! Mal desci de meu leito de horrores para o chão de pedra da prisão, quando o movimento da máquina infernal cessou, e vi-o ser arrastado por alguma força invisível através do teto. Essa foi uma lição que meu coração desesperado aprendeu de cor. Cada movimento meu era indubitavelmente vigiado. Livre! Eu havia escapado de morrer numa forma de agonia, mas apenas para ser entregue a qualquer outra forma pior do que a morte. Com tal pensamento, girei os olhos nervosamente em volta, sobre as barreiras de aço que me circundavam. Com certeza qualquer coisa de incomum, certa mudança que, a princípio, não pude perceber distintamente, tinha ocorrido no aposento. Durante vários minutos de sonhadora e trêmula abstração, perdi-me em vãs e desconexas conjecturas. Nesse período, dei-me conta pela primeira vez da origem da luz sulfurosa que iluminava a cela. Vinha de uma fenda de cerca de um centímetro e meio de largura que se estendia ao redor de toda a prisão, na base das paredes, que assim pareciam, e o eram de fato, inteiramente afastadas do solo. Tentei, sem dúvida inutilmente, olhar por essa abertura.

Em seguida, o mistério do aposento logo se impôs à minha compreensão. Observei que, embora os contornos das figuras nas paredes fossem suficientemente distintos, suas cores pareciam manchadas e indefinidas. Essas cores tinham agora adquirido, e o estavam adquirindo, um brilho assustador e muito intenso, que dava às espectrais e diabólicas imagens um aspecto capaz de fazer tremerem nervos até mais firmes que os meus. Olhos de demônio, de vivacidade selvagem e sinistra, contemplavam-me, vindos de mil direções onde antes nenhum tinha sido visível, e eles cintilavam com o lívido clarão de um fogo que eu não podia forçar a mente a considerar irreal.

Irreal! Até ao respirar vinha-me às narinas o bafo do vapor de ferro aquecido! Um odor sufocante derramava-se pela prisão! Um brilho mais profundo se fixava a cada momento nos olhos que contemplavam minhas agonias! Uma coloração carmesim mais rica difundia-se sobre as horrendas pinturas de sangue! Ofeguei! Esforcei-me para respirar! Não podia haver dúvidas quanto aos desígnios de meus atormentadores – os mais inflexíveis, os mais demoníacos dos homens! Fugi do metal incandescente para o centro da cela.

Ao imaginar a destruição ígnea que me ameaçava, a ideia do frescor do poço caiu sobre minha alma como um bálsamo. Corri para suas bordas mortais. Lancei para o fundo um olhar tenso. O brilho do teto inflamado iluminava os mais recônditos recessos. Contudo, por um momento desordenado, o espírito recusou-se a compreender a significação do que eu via. Por fim, impôs-se – abrindo caminho até minha alma – e gravou-se a fogo em minha mente trêmula. Oh! uma voz para falar! Oh! horror! Oh! qualquer horror, menos esse! Com um berro, fugi da margem e enterrei a face nas mãos, chorando amargamente.

Rapidamente o calor aumentou e ainda uma vez olhei para cima, a tremer como num acesso de febre. Segunda alteração tinha ocorrido na cela, e agora a mudança era evidentemente na forma. Como antes, foi em vão que tentei, a princípio, perceber ou compreender o que estava acontecendo. Mas a dúvida não durou por muito tempo. A vingança inquisitorial foi apressada por minha dupla fuga, e não havia mais possibilidade de negacear o Rei dos Terrores. Antes, o quarto era quadrado. Notei que dois de seus ângulos de ferro eram agora agudos e dois, consequentemente, obtusos. A terrível diferença aumentava velozmente, com um ruído lamentoso e surdo. De repente, o aposento passou a ter a forma de um losango. Mas a alteração não parou aí, nem desejava ou esperava que parasse. Eu poderia ter aplicado as paredes rubras a meu peito como um vestuário de eterna paz. E pensei:

– A morte! Qualquer morte, mas não a do poço!

Louco! Não devia ter sabido que o objetivo dos ferros ardentes era impelir-me para dentro do poço? Poderia eu resistir a seu fulgor? Ou, mesmo que sim, poderia suportar sua pressão? E, então, mais e mais se achatou o losango, com uma rapidez que não deixava tempo para refletir. Seu centro e, é claro, sua maior largura ficaram mesmo sobre o abismo escancarado. Fugi! Mas, fechando-se, as paredes impeliam-me irresistivelmente para diante. Afinal, de meu corpo queimado e torcido, separavam-me não mais que dois centímetros de solo firme do soalho da prisão. Não lutei mais. A agonia de minha alma, porém, exalou-se num grito alto, longo e decisivo de desespero. Senti que oscilava sobre a borda... Desviei os olhos...

Houve um ruído discordante de vozes humanas! Depois, um estrondoso toque, como o de muitas trombetas! E um rugido áspero, como o de mil trovões! Precipitadamente, recuaram as paredes abrasadas. Um braço estendido agarrou o meu quando, desfalecido, eu caía no abismo. Era o do general Lasalle. O exército francês havia entrado em Toledo. A Inquisição havia caído nas mãos de seus inimigos.

BERENICE

Berenice, 1835

A miséria é multiforme. Ultrapassando o vasto horizonte como o arco-íris, as suas cores são variadas como as dele, tão distintas, mas intimamente combinadas. Ultrapassando o vasto horizonte como o arco-íris! Como foi que da beleza eu derivei um tipo de horror? E do símbolo da paz um símile de sofrimento? Mas, como, na ética, o mal é a consequência do bem, assim do prazer nasceu, com efeito, a dor. Ou a recordação da ventura passada é a amargura de hoje, ou as angústias presentes têm a sua origem nos êxtases porventura gozados.

O meu nome de batismo é Egeu. O de minha família, não mencionarei. Todavia, não há no país torres mais antigas e veneradas do que no velho, severo e melancólico solar da minha família. Chamaram à minha estirpe de visionários; e em muitos pormenores, como nas características do solar da família, nas pinturas do salão nobre, nas tapeçarias dos dormitórios, nos cinzelados arsenais de armas, mais especialmente, na galeria de pinturas antigas, na feição da sala da biblioteca e, finalmente, na índole peculiar do acervo da biblioteca, existe evidências suficiente para provar a justeza da minha afirmação.

Minhas recordações dos primeiros anos estão intimamente ligadas àquela biblioteca e a seus livros, dos quais nada mais direi. Foi ali que morreu minha mãe. Nasci ali. Mas é perda de tempo dizer que eu não vivi antes, que a alma não tem existência prévia. Os senhores discordam? Não discutamos o assunto.

Convencido eu mesmo, não procuro convencer. Há, porém, uma lembrança de forma aérea, de olhos espirituais e expressivos, de sons musicais embora tristes; uma lembrança que jamais será apagada; uma reminiscência parecida a uma sombra, vaga, variável, indefinida, instável; e tão parecida a uma sombra, também, que me vejo na impossibilidade de livrar-me dela enquanto a luz de minha razão existir.

Foi naquele cômodo que nasci. Acordei assim da longa noite daquilo que parecia, mas não era, o nada, para logo cair nas mesmas regiões da terra das fadas, num palácio fantástico, nos estranhos domínios do pensamento monástico e da erudição, não é de estranhar que tenha eu lançado em torno de mim um olhar ardente e espantado, que tenha consumido minha infância nos livros e dissipado minha juventude em devaneios. Porém é estranho que, com o correr dos anos, e estando ainda na mansão de meus pais na minha maturidade, uma maravilhosa inércia tenha tombado sobre as fontes da minha vida. Maravilhoso como total inversão se operou na natureza de meus pensamentos mais comuns. As realidades do mundo me afetavam como visões, e somente como visões, enquanto as loucas ideias da terra dos sonhos tornavam-se, por sua vez, não o estofo de minha existência cotidiana, mas, na realidade, a própria existência em si, completa e única.

Berenice e eu éramos primos e fomos criados juntos no solar paterno. Mas crescemos diferentemente: eu, de má saúde e mergulhado na minha melancolia, enquanto ela era ágil, graciosa e exuberante de energia. Ela vivia fazendo passeios pelas encostas da colina, enquanto eu ficava confinado nos estudos. Eu, encerrado em meu próprio coração e dedicado, de corpo e alma, à mais intensa e penosa meditação; ela, divagando descuidosa pela vida, sem pensar em sombras no seu caminho ou no voo silencioso das horas de asas de corvo.

Berenice! Invoco seu nome: Berenice! E das ruínas sombrias da memória surgem milhares de tumultuosas recordações ao som da invocação! Ah, bem viva tenho agora sua imagem diante de mim, como nos velhos dias de sua jovialidade e alegria! Oh, deslumbrante, porém fantástica beleza! Oh, sílfide entre arbustos de Arnheim! Oh, náiade entre suas fontes! E depois – depois tudo é mistério e horror, uma história que não deveria ser contada. Uma doença, uma fatal doença a envolveu como o simum sobre seu corpo. E precisamente quando a contemplava, o espírito da metamorfose arrojou-se sobre ela, invadindo-lhe a mente, os hábitos e o caráter, perturbando-lhe, da maneira mais sutil e terrível, a própria personalidade! Ah, o destruidor veio e se foi! E a vítima – onde estava ela? Não a conhecia, ou não mais a conhecia como Berenice!

Entre as numerosa sequelas acarretadas por aquela doença que ocasionou uma revolução de tão horrível espécie no ser moral e físico de minha prima, pode-se mencionar como o mais aflitivo e obstinado em sua natureza uma espécie de epilepsia que, não raro, terminava em catalepsia, transe muito semelhante à morte efetiva, do qual despertava de uma maneira assustadoramente súbita. Entrementes, minha própria doença aumentou e assumiu afinal um caráter monomaníaco, de forma nova e extraordinária; a cada hora e momento crescia em vigor e, por fim, veio a adquirir sobre mim a mais incompreensível ascendência. Essa monomania se caracterizava por uma irritabilidade mórbida daquelas faculdades do espírito denominadas pela ciência metafísica "déficit de atenção". É mais que provável não me entenderem, mas temo, deveras, que me seja totalmente impossível transmitir à mente do leitor comum uma ideia adequada daquela nervosa intensidade de atenção com que, no meu caso, as faculdades meditativas (para evitar a linguagem técnica) se aplicavam e absorviam na contemplação dos mais vulgares objetos do mundo.

Ficava meditando incansavelmente por longas horas, com a atenção voltada para alguma frase frívola, à margem de um livro ou no seu aspecto tipográfico. Ficava absorto durante a melhor parte de um dia de verão na contemplação de uma sombra extravagante, projetada obliquamente sobre a tapeçaria ou sobre o soalho; perder uma noite inteira olhando a chama imóvel de uma lâmpada ou as brasas de um fogão; sonhar dias inteiros com o perfume de uma flor; repetir monotonamente alguma palavra comum, até que o som, à força da repetição frequente, cessasse de representar ao espírito a menor ideia, qualquer que fosse; perder toda a noção de movimento ou de existência física em virtude de uma absoluta quietação do corpo, prolongada e obstinadamente mantida – tais eram os caprichos mais comuns e menos perniciosos provocados por um estado de minhas faculdades mentais não, de fato, absolutamente sem paralelo, mas desafiador, decerto, de qualquer espécie de análise ou explicação.

Vamos ser mais claros. A excessiva, ávida e mórbida atenção assim excitada por objetos triviais em sua própria natureza não deve ser confundida, a propósito, com aquela propensão meditativa comum a toda a humanidade e, mais especialmente, do agrado das pessoas de imaginação ardente. Nem era tampouco, como se poderia a princípio supor, um estado extremo ou uma exageração de tal propensão, e sim algo primária e essencialmente distinto e diferente dela.

O sonhador ou entusiasta, interessando-se por um objeto *não* fútil, perde de vista este objeto num emaranhamento de deduções e sugestões derivadas umas das outras, até que, ao fim da divagação, muitas vezes repleta de prazer, ele encontra o incitamento ou a causa primária do seu devaneio inteiramente apagada ou esquecida. No meu caso, porém, o primitivo objeto era sempre fútil, embora assumisse, devido à minha desequilibrada visão, uma importância refrata e irreal. Poucas deduções fazia, se é que as fazia; e essas poucas refluíam pertinazmente ao objeto primitivo como a um centro. As minhas meditações nunca me causavam prazer; e, no fim do meu devaneio, a causa primária, em vez de se encontrar já longe do meu alcance, havia atingido aquele interesse sobrenaturalmente exagerado, que era a feição característica da doença. Numa palavra, as minhas faculdades intelectuais que mais particularmente entravam em ação eram, como eu disse atrás, as da atenção e não, como no caso do meditativo vulgar, as da especulação.

Os meus livros, nesta época, se na realidade não serviam para irritar o meu desarranjo mental, participavam, como facilmente se compreenderá, na sua índole imaginativa e incoerente, das qualidades características do próprio desarranjo. Recordarei, entre outros, o tratado do nobre italiano Coelius Secundus Curio, *Amplitudine Beati Regni Dei*; a grande obra de Santo Agostinho, *A Cidade de Deus*; e Tertuliano, *De Carne Christi*, em que a paradoxal sentença *Mortuus est Dei filius; credibile est quia ineptum est: et sepultus resurrexit; certum est quia impossibile est* ocupou ininterruptamente o meu tempo durante muitas semanas de laboriosa e infrutífera investigação.

Parecerá que, desviada do seu equilíbrio apenas por coisas triviais, a minha razão se assemelhava àquele recife citado por Ptolomeu Hephestion, que, afrontando rijamente os ataques da violência humana e a fúria selvática dos ventos e das vagas, somente tremia ao ser tocado pela flor chamada asfódelo. E embora, ao pensador superficial, possa parecer indubitável que a alteração produzida pela doença na condição moral de Berenice, me proporcionasse muitos objetos para o exercício daquela intensa e anormal meditação, cuja natureza eu tive alguma dificuldade em explicar, mas não foi o caso.

Nas fases lúcidas da minha enfermidade, a sua desgraça afligia-me deveras, e, condoído profundamente daquela total submersão de uma mocidade tão formosa e tão gentil, muitas vezes meditei com amargura na maneira maravilhosa como nela se operara tão súbita e estranha revolução. Estas reflexões, porém, não participavam da idiossincrasia da minha doença, e eram as mesmas que, em igualdade de circunstâncias, ocorreriam à massa ordinária da humanidade. Fiel ao seu caráter próprio, o meu desarranjo se fixava nas mudanças menos importantes, mas mais flagrantes, operadas no aspecto físico de Berenice, na singular e horripilante deformação da sua identidade pessoal.

Nunca, jamais a amara durante os dias mais brilhantes de sua incomparável beleza. Na estranha anomalia de minha existência, os sentimentos nunca me provinham do coração: minhas paixões eram sempre do espírito. Através do crepúsculo matutino, entre as sombras estriadas da floresta, ao meio-dia, e no silêncio de minha biblioteca, à noite, esvoaçara ela diante de meus olhos, e eu a contemplara não como uma Berenice viva, que respira, mas como a Berenice de um sonho; não como um ser da Terra, terreno, mas como a abstração de tal ser; não como coisa para admirar, mas para analisar; não como um objeto de amor, mas como o tema da mais abstrusa, embora inconstante, especulação. E agora – agora eu estremecia em sua presença e empalidecia à sua aproximação; embora lamentando amargamente sua decadência e desolada condição, lembrei-me de que ela me amava havia muito e, num momento fatal, falei-lhe em casamento.

Numa tarde de inverno, perto de nossas núpcias, em um daqueles dias cálidos, sossegados e nevoentos que são a alma da bela Alcíone, sentei-me no mais recôndito gabinete da biblioteca. Julgava estar sozinho, mas, erguendo a vista, divisei Berenice, em pé à minha frente.

Foi minha própria imaginação agitada, a nevoenta influência da atmosfera, o crepúsculo impreciso do aposento ou as cinzentas vestes que lhe caíam em torno do corpo – o que, afinal, lhe dera aquele perfil indeciso e vacilante? Não sei dizer. Ela não disse palavra e eu, por forma alguma, podia emitir uma só sílaba. Um gélido calafrio correu meu corpo, uma sensação de intolerável ansiedade me oprimia, uma curiosidade devoradora invadiu-me a alma e, recostando-me na cadeira, permaneci por algum tempo imóvel e sem respirar, com os olhos fixos em seu vulto. A magreza era excessiva e nenhum vestígio da criatura de outrora se vislumbrava numa linha sequer de suas formas. Meu olhar ardente pousou enfim em seu rosto.

A testa era alta, muito pálida e de uma placidez singular. O cabelo, outrora negro, de azeviche, caía-lhe parcialmente sobre a testa e sombreava as fontes encovadas com numerosos anéis, agora de um amarelo vivo, destoando da melancolia de suas feições. Os olhos, sem vida e sem brilho, pareciam desprovidos de pupilas, e desviei a vista de sua fixidez vítrea para contemplar os lábios delgados e contraídos. Entreabriram-se e, num sorriso bem significativo, os dentes da Berenice transformada se foram mostrando pouco a pouco. Prouvera a Deus nunca os tivesse visto, ou que, tendo-os visto, tivesse morrido!

O som de uma porta que bateu me assustou e, erguendo a vista, vi que minha prima havia abandonado o aposento. Mas do aposento desordenado do meu cérebro não havia saído. Nem queria sair o espectro branco e horrível de seus dentes. Nem uma mancha se via em sua superfície, nem um matiz no esmalte, nem uma falha nas bordas que aquele breve tempo de seu sorriso não me houvesse gravado na memória. Via-os agora até mais distintamente do que os vira antes. Os dentes! Os dentes! Estavam aqui e ali e por toda a parte, visíveis, palpáveis, diante de mim. Compridos, estreitos e excessivamente brancos, com os pálidos lábios contraídos sobre eles, como no instante mesmo de seu primeiro e terrível crescimento.

Então, desencadeou-se a plena fúria de minha monomania, e em vão lutei contra sua estranha e irresistível influência. Os múltiplos objetos do mundo exterior não me despertavam outro pensamento que não fosse o daqueles dentes. Queria-os com frenético desejo. Todos outros assuntos e todos os interesses foram absorvidos por aquela exclusiva contemplação. Eles – somente eles estavam presentes aos olhos de meu espírito, e eles, em sua individualidade única, se tornaram a essência de minha vida mental. Via-os sob todos os aspectos. Revolvia-os em todas as suas peculiaridades. Meditava em sua conformação. Refletia na alteração de sua natureza. Estremecia ao atribuir-lhes, na imaginação, faculdades de sentimento, sensação e mesmo, quando desprovidos dos lábios, capacidade de expressão moral. Dizia-se, com razão, de *mademoiselle* de Sallé *"que tous ses pas* étaient *des sentiments"*; de Berenice, com mais séria razão acreditava eu *"que todos seus dentes eram ideias"*. Ideias! Ah, esse foi o pensamento absurdo que me destruiu! Ideias! Ah, eis por que eu os cobiçava tão loucamente! Sentia que somente a posse deles poderia restituir-me a paz e devolver-me a razão.

E assim caiu a tarde e anoiteceu. Vieram as trevas, demoraram, foram embora. E o dia raiou mais uma vez. E os nevoeiros de uma segunda noite tornaram a se adensar a meu redor. E eu ainda continuava sentado, imóvel, naquele quarto solitário, ainda mergulhado em minha meditação, ainda com o fantasma dos dentes mantendo sua terrível ascendência sobre mim, a flutuar com a mais viva e hedionda nitidez entre as luzes e sombras mutáveis do aposento. Afinal, explodiu em meio de meus sonhos um grito de horror e de consternação, ao qual se seguiu, depois de uma pausa, o som de vozes aflitas, entremeadas de surdos lamentos de tristeza e pesar. Levantei-me e, escancarando uma das portas da biblioteca, vi, de pé, na antecâmara, uma criada toda em lágrimas, que me disse que Berenice não mais... vivia! Fora tomada de um ataque epiléptico pela manhã e agora, ao cair da noite, a cova estava pronta para receber sua ocupante e todos os preparativos do enterro estavam prontos.

Com o coração cheio de angústia, oprimido pelo temor, dirigi-me com repugnância para o dormitório da defunta. Era um quarto vasto, muito escuro, e eu me chocava a cada passo com os preparativos do enterro. Os cortinados do leito, disse-me um criado, estavam fechados sobre o ataúde, e naquele ataúde, acrescentou ele em voz baixa, jazia tudo quanto restava de Berenice.

Quem disse que eu não queria ver o corpo? Não vi moverem-se os lábios de ninguém; entretanto, a pergunta fora realmente feita, e o eco das últimas sílabas ainda se arrastava pelo quarto. Era impossível resistir e, com uma sensação opressiva, dirigi-me a passos tardos para o leito. Levantei devagarinho as sombrias dobras das cortinas, mas, deixando-as cair de novo, desceram elas sobre meus ombros e, separando-me do mundo dos vivos, me encerraram na mais estreita comunhão com a defunta.

Todo o ar do quarto exalava a morte; o cheiro característico do ataúde me fazia mal, e imaginava que um odor deletério exalava já do cadáver. Teria dado mundos para escapar, para livrar-me da perniciosa influência mortuária, para respirar uma vez ainda o ar puro dos céus eternos. Mas, me faleciam as forças para mover-me, meus joelhos tremiam e me sentia como que enraizado no solo, contemplando fixamente o rígido cadáver, estendido de comprido, no caixão aberto.

Deus do céu! Seria possível? Transviara-se meu cérebro, ou o dedo da defunta se mexera no sudário que a envolvia? Tremendo de inexprimível terror, ergui lentamente os olhos para ver o rosto do cadáver. Haviam-lhe amarrado o queixo com um lenço, que, não sei como, se desatara. Os lábios lívidos se torciam numa espécie de sorriso, e, por entre sua moldura melancólica, os dentes de Berenice, brancos, luzentes, terríveis, me fixavam ainda com uma realidade demasiado vívida. Afastei-me convulsivamente do leito e, sem pronunciar uma palavra, corri como louco para fora daquele quarto de mistério, de horror e de morte.

Encontrei-me de novo sentado na biblioteca, e de novo estava só. Sentia que despertara de um sonho confuso e agitado. Sabia que era então meia-noite, e bem ciente estava de que, já ao pôr do sol, Berenice tinha sido enterrada. Mas, do que ocorrera durante esse tétrico intervalo, eu não tinha qualquer percepção positiva, ou pelo menos definida. Minha lembrança dele, porém, estava repleta de horror, horror mais horrível porque impreciso, terror mais terrível porque ambíguo. Era uma página espantosa do registro de minha existência, toda escrita com sombrias e medonhas e ininteligíveis recordações. Tentava decifrá-las, mas em vão; e, de vez em quando, como o espírito de um som evadido, parecia-me retinir nos ouvidos o grito agudo e lancinante de uma voz de mulher. Eu fizera alguma coisa; que era, porém? Interrogava-me em voz alta, e os ecos do aposento me respondiam: "Que era?".

Em cima da mesa, a meu lado, ardia uma lâmpada e, perto dela, estava uma caixinha. Não era de aspecto digno de nota, eu já a vira antes com frequência, pois pertencia ao médico da família; mas, como fora parar ali, sobre minha mesa, e por que estremecia eu ao contemplá-la? Não valia a pena importar-me com tais coisas, de sorte que meus olhos, por fim, caíram sobre as páginas abertas de um livro e sobre uma sentença nelas sublinhada. Eram as palavras singulares, porém simples, do poeta Ebn Zaiat: *"Dicebant mihi sodales, si se-*

pulchrum amicae visitarem, curas meas aliquantulum fore levatas[1]". Por que, então, ao lê-las, os cabelos de minha cabeça se eriçaram até a ponta, e o sangue de meu corpo congelou-se nas veias?

Uma leve pancada soou na porta da biblioteca e, pálido como o habitante de um sepulcro, um criado entrou na ponta dos pés. Sua fisionomia estava transtornada de pavor, e ele me falou em voz trêmula, rouca e muito baixa. Que disse? Ouvi frases truncadas. Falou-me de um grito selvagem que perturbara o silêncio da noite... do acorrer dos moradores da casa... de uma busca do lugar de onde viera o som. E, depois, sua voz se tornou penetrantemente distinta ao murmurar a respeito de um túmulo violado... de um corpo amortalhado e desfigurado, mas ainda a respirar, ainda palpitante, ainda vivo!

Ele olhou para minhas roupas. Elas estavam sujas de barro e de coágulos de sangue. Eu nada falava, e ele pegou-me levemente na mão; havia, gravadas nela, sinais de unhas humanas. Chamou minha atenção para certo objeto encostado à parede, que contemplei por alguns minutos: era uma pá. Com um grito, saltei para a mesa e agarrei a caixa que sobre ela jazia. Mas não pude arrombá-la; em meu tremor, ela deslizou-me das mãos e caiu com força, quebrando-se em pedaços. E dela, com um som metálico, rolaram vários instrumentos de cirurgia dentária, de mistura com trinta e duas peças brancas, pequenas, como que de marfim, que se espalharam por todo o assoalho.

---

1 *Meus companheiros me disseram que se eu fosse visitar o túmulo do meu amigo, poderia de alguma forma aliviar minhas preocupações. (N. d. T.)*

MetzenGerstein

Metzengerstein, 1832

horror e a fatalidade estão sempre juntos. Para que atribuir uma data à história que vou narrar? Basta dizer que na época de que falo existia no centro da Hungria uma crença secreta, mas muito arraigada na metempsicose. Nada direi das doutrinas em si e da sua falsidade ou veracidade. Boa parte da nossa credulidade vem do fato de não se poder estar só, como disse La Bruyère, que atribui toda a nossa infelicidade a este motivo.

Entretanto, havia alguns pontos na superstição húngara que tendiam fortemente para o absurdo. Os húngaros diferiam muito essencialmente das autoridades do Oriente. Por exemplo, a alma, segundo creem, permanece apenas uma vez num corpo sensível. Assim, um cavalo, um cão, mesmo um homem, não passam, na aparência ilusória destes seres. Os termos são de um sutil e inteligente parisiense.

As famílias Berlifitzing e Metzengerstein tinham vivido em discórdia durante séculos. Jamais se viram duas casas tão ilustres reciprocamente votadas a uma inimizade mortal. Este ódio podia ter a sua origem nas palavras de uma antiga profecia: "Um nome ilustre terá uma queda terrível quando, como o cavaleiro sobre o seu cavalo, a mortalidade de Metzengerstein triunfar da imortalidade de Berlifitzing."

Na realidade, essas palavras tinham apenas pouco ou nenhum sentido. Mas as causas mais vulgares deram origem a consequências igualmente cheias de grandes acontecimentos, isso sem ir muito longe. Além disso, as duas casas, que eram vizinhas, tinham por muito tempo exercido influência rival nos negócios de um governo conturbado. Mais ainda, os vizinhos próximos também eram raramente amigos, e do alto das suas muralhas maciças, os habitantes do castelo Berlifitzing podiam ver mesmo distintamente para dentro das janelas do palácio de Metzengerstein. Enfim, o alarde de uma magnificência mais que feudal não servia para acalmar os sentimentos irritáveis dos Berlifitzing, menos antigos e menos ricos.

Haverá pois razão para nos admirarmos que os termos dessa profecia, mesmo aparentemente ridículos, tenham criado e mantido a discórdia entre duas famílias já predispostas às zangas por todas as instigações de um ciúme hereditário? A profecia parecia implicar um triunfo final do lado da casa mais poderosa, e naturalmente vivia na memória da mais fraca e da menos influente, e enchia-a de uma amarga animosidade.

Wilhelm, conde Berlifitzing, se bem que fosse de uma nobre linhagem, era, na época desta história, apenas um velho doente e confuso, que não tinha nada de notável, senão uma antipatia inveterada e louca contra a família do seu rival e uma paixão tão viva pelos cavalos e pela caça, que nada, as enfermidades físicas ou a idade avançada, nem o enfraquecimento do seu espírito, o podia impedir de tomar diariamente parte nos perigos deste exercício. Do outro lado, Frederico, barão Metzengerstein, era muito jovem. Seu pai, o ministro G..., morrera ainda novo. E sua mãe, Maria, o seguiu pouco depois. Frederico tinha nessa época dezoito anos. Numa cidade, dezoito anos não é um longo período de tempo; mas em solidão, mesmo numa magnífica solidão como esta velha propriedade, o pêndulo vibra com uma mais profunda e mais significativa solenidade.

Devido a certas circunstâncias resultantes da administração de seu pai, o jovem barão, logo após a morte deste, entrou na posse dos seus vastos domínios. Raramente se via um nobre húngaro possuir um tal patrimônio. Os seus castelos eram incontáveis. O mais esplêndido e o mais vasto era o palácio de Metzengerstein. A linha que delimitava os seus domínios não fora nitidamente definida; mas o parque principal dava uma circunferência de oitenta quilômetros. O aparecimento de um proprietário tão jovem, e de um caráter tão bem conhecido, com uma fortuna tão incomparável deixava pouco lugar às conjeturas, relativamente à sua linha provável de conduta. E, em verdade, no espaço de três dias, a conduta do herdeiro fez empalidecer o renome de Herodes e ultrapassou em magnificência as esperanças dos seus mais entusiásticos admiradores. Medonhos deboches, flagrantes perfídias, atrocidades espantosas fizeram em breve compreender aos seus vassalos temerosos que nada, a submissão servil da sua parte ou escrúpulos de consciência, lhes garantiria para o futuro segurança contra as garras impiedosas deste pequeno Calígula. Na noite do quarto dia, registou-se um grande fogo nas cavalariças do castelo Berlifitzing, e a opinião unânime da vizinhança juntou o crime de incêndio à lista já horrível dos delitos e atrocidades do barão.

Quanto ao jovem cavalheiro, durante o tumulto ocasionado por este aciden-te, mantinha-se aparentemente mergulhado numa meditação no alto do palá-cio da família dos Metzengerstein, num vasto apartamento solitário. O jogo de tapeçarias, opulento, embora desbotado, que pendia melancolicamente das paredes, representava as figuras fantásticas e majestosas de mil antepassados ilustres. Aqui, sacerdotes ricamente vestidos de arminho, dignitários pontifí-cios, sentavam-se familiarmente com o autócrata e o soberano, opunham seu veto aos caprichos de um rei temporal ou detinham com aval da onipotência papal o cetro rebelde do Grande-Inimigo, príncipe das trevas. Acolá, as som-brias e enormes figuras dos príncipes Metzengerstein – com seus musculosos corcéis tripudiando sobre os cadáveres dos inimigos caídos – abalavam os ner-vos mais firmes com sua vigorosa expressão. Por sua vez, voluptuosas e bran-cas como cisnes, as imagens das damas de tempo antigo flutuavam ao longe nos volteios de uma dança fantástica, aos acordes de uma melodia imaginária.

Mas enquanto o barão escutava ou fingia ouvir o estrondo sempre cres-cente das cavalariças de Berlifitzing – e talvez meditasse nalgum delito novo, algum rasgo decidido de audácia – os seus olhos viraram-se maquinalmente para a imagem do cavalo enorme, de uma cor sobrenatural e representada na tapeçaria como pertencendo a um antepassado da família do seu rival. O ca-valo aparecia no primeiro plano do quadro, imóvel como uma estátua – ao passo que um pouco longe, atrás dele, o seu cavaleiro derrubado morria sob o punhal de um Metzengerstein.

Na boca de Frederico surgia uma expressão diabólica quando se aperce-beu da direção que o seu olhar tomara involuntariamente. No entanto, não desviou os olhos. Bem longe dali, não podia de nenhuma forma dar razão da ansiedade opressiva que parecia cair sobre os seus sentidos como uma morta-lha. Conciliava dificilmente as suas sensações incoerentes como as dos sonhos com a certeza de ser despertado. Quanto mais contemplava, mais absorvido se tornava o seu olhar pela fascinação desta tapeçaria. Mas o tumulto do exterior, ao tornar-se repentinamente mais violento, fê-lo fazer enfim um esforço a con-tragosto e desviou a sua atenção para uma explosão de luz vermelha, projetada em cheio das cavalariças inflamadas sobre as janelas do aposento.

A ação, no entanto, foi apenas momentânea; o seu olhar virou-se maquinal-mente para a parede. Com grande espanto seu, a cabeça do gigantesco corcel – coisa horrível! – tinha entretanto mudado de posição. O pescoço do animal, primeiramente inclinado como por compaixão para o corpo tombado do seu senhor, estava agora estendido, rígido e a todo o comprimento, na direção do barão. Os olhos há pouco invisíveis, continham agora uma expressão enérgica e humana, e brilhavam com uma tonalidade vermelha, ardente e extraordinária; e os beiços distendidos desse cavalo de aspecto enraivecido deixavam aperceber plenamente os seus dentes sepulcrais e repugnantes.

Tomado de terror, o jovem senhor saiu cambaleando. Ao abrir a porta, um clarão de luz vermelha brilhou ao longo da sala, desenhando nitidamente o seu reflexo na tapeçaria; e quando o barão hesitou um instante no patamar, estremeceu vendo que esse reflexo tomava a mesma posição e preenchia exatamente o contorno do implacável e triunfante assassino do Berlifitzing vencido.

Para aliviar o seu espírito deprimido, o barão Frederico procurou precipitadamente o ar livre. A porta principal do palácio encontrou três escudeiros. Estes, com muita dificuldade e com perigo da sua vida, comprimiam os saltos convulsivos de um cavalo gigantesco, cor de fogo.

– De quem é este cavalo? Onde o encontraram? – perguntou o jovem com voz imperiosa e rouca, reconhecendo imediatamente que o misterioso corcel da tapeçaria era o próprio animal furioso que tinha diante dele.

– É sua propriedade, senhor – respondeu um dos escudeiros – pelo menos nenhum proprietário o reclamou. Apanhamos quando fugia, ardente e espumante de raiva, das cavalariças escaldantes do castelo Berlifitzing. Supondo que pertencesse ao haras do velho conde, o trouxemos com os restantes. Mas os criados abdicaram dos direitos sobre o animal, o que é estranho, pois ele tem marcas evidentes do fogo, o que prova que escapou por pouco.

– As letras W. V. B. estão igualmente marcadas a ferro muito distintamente na testa – interrompeu um segundo escudeiro. – Suponho pois que se trata das iniciais de Wilhelm von Berlifitzing, mas toda a gente no castelo afirma positivamente não ter conhecimento do cavalo.

– Extremamente singular! – disse o jovem barão, com ar sonhador, como se não tivesse nenhuma consciência do sentido das suas palavras. – É, como diz, um cavalo notável, um cavalo prodigioso! Se bem que ele seja, como reparou com justeza, de um caráter assustadiço e intratável, vamos lá! Pois será meu, não duvido – disse ele depois de uma pausa. – Talvez só um cavaleiro como Frederico de Metzengerstein poderá domar o próprio diabo das cavalariças de Berlifitzing.

– Engana-se, senhor. O cavalo, como lhe dissemos, creia, não pertence às cavalariças do conde. Se tal tivesse sido o caso, nós conhecíamos muito bem o nosso dever para o levar à presença de uma pessoa nobre da sua família.

– É verdade! – observou o barão secamente.

E nesse momento um jovem criado de quarto chegou do palácio, afogueado e com passos precipitados. Falou ao ouvido do patrão, da história do desaparecimento repentino de um pedaço de tapeçaria, num quarto que designou, entrando então em pormenores de um caráter minucioso e circunstanciado. Mas, como tudo isso foi comunicado em voz muito baixa, nem uma palavra transpirou que pudesse satisfazer a curiosidade excitada dos escudeiros.

O jovem Frederico, durante a conversa, parecia agitado por emoções diversas. Contudo, recobrou pouco depois a sua calma, e uma expressão de maldade desenhava-se já na sua fisionomia quando deu ordens para que o aposento em questão fosse imediatamente fechado e a chave posta nas suas próprias mãos.

– Teve conhecimento da morte deplorável de Berlifitzing, o velho caçador? – disse ao barão um dos seus vassalos, ao afastar-se o pajem, enquanto o enorme corcel, que o fidalgo tinha adotado como seu, pulava e saltava com uma fúria dobrada pela longa avenida que se estendia do palácio às cavalariças de Metzengerstein.

– Não – disse o barão voltando-se bruscamente para o que falava.

– É a pura verdade, senhor, e presumo que para um senhor do seu nome não é uma informação demasiado desagradável.

Um rápido sorriso surgiu na fisionomia do barão.

– Como morreu?

– Devido aos seus esforços imprudentes para salvar a parte preferida de seu haras de caça, pereceu miseravelmente nas chamas.

– Ver... da... de...! – exclamou o barão, como que impressionado, lenta e gradualmente, por qualquer evidência misteriosa.

– Verdade – repetiu o vassalo.

– Horrível! – disse o jovem com muita calma. E entrou tranquilamente no palácio.

A partir desta época uma alteração marcante verificou-se na conduta exterior do jovem desenfreado. Verdadeiramente a sua conduta desapontava todas as esperanças e derrotava as intrigas de mais de uma mãe. Os seus hábitos e maneiras vincaram-se cada vez mais, não havendo relações de simpatia, e menos do que nunca, com qualquer pessoa da aristocracia da vizinhança. Nunca o viam para além dos limites do seu próprio domínio, e no vasto mundo social estava absolutamente só – a menos que aquele grande cavalo impetuoso e invulgar, cor de fogo, que montava continuamente a partir dessa época, não tivesse na verdade qualquer direito misterioso ao título de amigo.

Contudo, chegavam periodicamente convites da parte dos vizinhos:

"O barão honrará a nossa festa com a sua presença?"

"O barão se juntará a nós em uma caçada a javali?"
"Metzengerstein não caça."
"Metzengerstein não irá."

Tais eram as suas altivas e lacônicas respostas.

Estes insultos repetidos não podiam ser suportados por uma nobreza orgulhosa. Os convites tornaram-se menos cordiais, menos frequentes. Com o tempo até cessaram por completo. Ouviu-se a viúva do infortunado conde Berlifitzing exprimir o voto de que "o barão ficasse em casa quando desejasse não estar lá, visto que desdenhava da companhia dos seus iguais; e que saísse a cavalo quando também não quisesse, pois que preferia a companhia de um cavalo" . Isto certamente não passava de explosão irada do ódio hereditário e provava que as palavras se tornam singularmente absurdas quando queremos dar-lhes uma forma extraordinariamente enérgica.

As pessoas caridosas, todavia, atribuíam a mudança dos modos do jovem fidalgo ao desgosto natural de um filho privado prematuramente dos seus pais, esquecendo, contudo, a sua atroz e descuidada conduta durante os dias que se seguiram a esta perda. Houve alguns que viam simplesmente no caso uma ideia exagerada da sua importância e da sua dignidade. Outras, por sua vez (e entre aquelas pode ser citado o médico da família), falavam sem hesitar de uma melancolia mórbida e de um mal hereditário. No entanto, insinuações mais tenebrosas, de uma natureza equívoca, corriam por entre o povo.

Na realidade, a dedicação perversa do barão pela sua montada de recente aquisição – dedicação que parecia tomar uma nova força em cada novo exemplo que o animal dava das suas ferozes e demoníacas inclinações – tornava-se com o decorrer do tempo, aos olhos de todas as pessoas, uma tendência horrível e contra a natureza. No deslumbramento do meio-dia, às horas profundas da noite, doente ou de boa saúde, o jovem Metzengerstein parecia pregado à sela do cavalo colossal cujas insuportáveis audácias se harmonizavam bem com o seu próprio caráter.

Havia, para mais, circunstâncias que ligadas aos acontecimentos recentes, davam um caráter sobrenatural e monstruoso à mania do cavaleiro e à capacidade do animal. O espaço que ele transpunha de um só salto tinha sido cuidadosamente medido e ultrapassava com uma diferença espantosa as conjeturas mais largas e mais exageradas. O barão, além disso, não dera ainda ao animal qualquer nome específico, ainda que todos os cavalos do haras fossem distinguidos pelos nomes característicos. Este cavalo tinha a sua cavalariça a uma certa distância das outras e, quanto ao tratamento e a todo o serviço necessário, ninguém, exceto o proprietário em pessoa, se teria arriscado a preencher estas funções, nem mesmo a entrar no recinto onde estava construída a sua baia particular. Observou-se também que os três cavalariços, que se tinham apoderado do corcel quando fugia ao incêndio de Berlifitzing, embora tivessem conseguido parar a sua corrida com a ajuda de uma cadeia de nó corredio, no entanto, nenhum dos três podia afirmar com a certeza de que, durante essa perigosa luta, tivessem pousado a mão no corpo do animal. Provas de inteligência particular na conduta de um nobre animal cheio de ardor não bastariam certamente para excitar uma atenção sem motivos. Mas havia certas circunstâncias que tinham alertado os espíritos mais céticos e mais fleumáticos, e dizia-se que por vezes o animal fizera recuar de horror a multidão curiosa frente ao profundo e chocante significado da sua marca, que por vezes o jovem Metzengerstein se tornara pálido e se furtara diante da expressão rápida do seu olhar sério e quase humano.

Entre todos os criados do barão não se encontrava, contudo, ninguém que duvidasse do fervor extraordinário e afeição que excitavam no jovem fidalgo as qualidades brilhantes do seu cavalo. Ninguém, exceto um insignificante pajenzinho, um pateta que exibia por toda a parte ofuscante feiura e cujas opiniões não tinham a mínima importância. Tinha o desaforo de afirmar – se as suas ideias valessem a pena ser mencionadas – que o seu dono jamais subira na sela sem um inexplicável e quase imperceptível arrepio, e que no regresso de cada um dos seus longos e habituais passeios, uma expressão de maldade desfigurava a sua face.

Durante uma noite tempestuosa, Metzengerstein, ao acordar de um pesado sono, desceu como um maníaco do seu quarto e, montando o cavalo a toda a pressa, lançou-se a galope através do labirinto da floresta.

Um acontecimento tão vulgar não podia chamar em particular a atenção. Porém, o seu regresso foi esperado com uma intensa ansiedade por todos os criados, quando, depois de algumas horas de ausência, as prodigiosas e magníficas construções do palácio de Metzengerstein se puseram a estalar e a tremer até às fundações, sob o efeito de um fogo imenso, uma massa espessa e lívida.

Quando viram as chamas pela primeira vez, já tinham lavrado terrivelmente todos os esforços para salvar qualquer porção dos edifícios, inutilmente. Toda a população da vizinhança se conservava silenciosamente em volta, numa estupefação silenciosa, até mesmo apática.

Mas um objeto terrível e novo atraiu em breve a atenção de todos, e demonstrou quanto é mais intenso o interesse excitado pelos sentimentos de uma multidão pela contemplação de uma agonia humana do que a criada pelos mais espantosos espetáculos da matéria inanimada.

Na longa avenida dos velhos castanheiros, que começava na floresta e terminava à entrada principal do palácio de Metzengerstein, um corcel, trazendo um cavaleiro de cabelo em desordem, vinha saltando com uma impetuosidade que desafiava a fúria da própria tempestade. O cavaleiro não estava evidentemente senhor desta corrida desenfreada. A angústia da sua fisionomia os esforços convulsivos de todo o seu ser, testemunhavam bem uma luta sobre-humana, mas nenhum som, exceto um único grito, se escapou pelos lábios lacerados, que mordia, ora um ora outro, na intensidade do seu terror. Num instante, o choque dos cascos ecoou com um barulho agudo, atroador, mais alto que o rugir das chamas e o ulular do vento. Num instante apenas, transpondo de um salto a porta grande e o fosso, o corcel lançou-se pelas escadas oscilantes do palácio e desapareceu com o seu cavaleiro no turbilhão daquele fogo caótico.

A fúria da tempestade apaziguou-se de repente e sobreveio a calma mais absoluta. Uma chama branca envolvia ainda o edifício como um sudário e brilhava ao longo da atmosfera tranquila, dardejando uma luz de um fulgor sobrenatural, enquanto uma nuvem de fumo descia pesadamente por cima das construções, sob a forma distinta de um gigantesco cavalo.

O CASO DO SR. VALDEMAR

The Facts in the Case of M. Valdemar, 1845

O fato de o extraordinário caso do Sr. Valdemar ter agitado de tal modo a opinião pública não é, evidentemente, de espantar. Milagre seria se tal não acontecesse, especialmente devido às circunstâncias. Porque os interessados não desejavam dar publicidade ao caso, pelo menos de momento ou até terem ocasião de o investigar mais profundamente, surgiu uma versão exagerada que deu origem a especulações muito desagradáveis e a uma boa dose de desconfiança.

Portanto, é preciso estabelecer a verdade dos fatos, na medida em que eu próprio os compreendi. Resumidamente, eis o que se passou:

Nos últimos três anos interessei-me bastante pelo hipnotismo. E, há cerca de nove meses, ocorreu-me bruscamente que na série de experiências feitas até então havia uma omissão estranha e inexplicável: ainda ninguém fora hipnotizado na hora da morte. Não se sabia, pois, se, primeiro, nessas condições o paciente seria susceptível à influência magnética; em segundo lugar, se, em caso afirmativo, essa susceptibilidade era aumentada ou não pela situação; em terceiro lugar, até que ponto e durante quanto tempo a

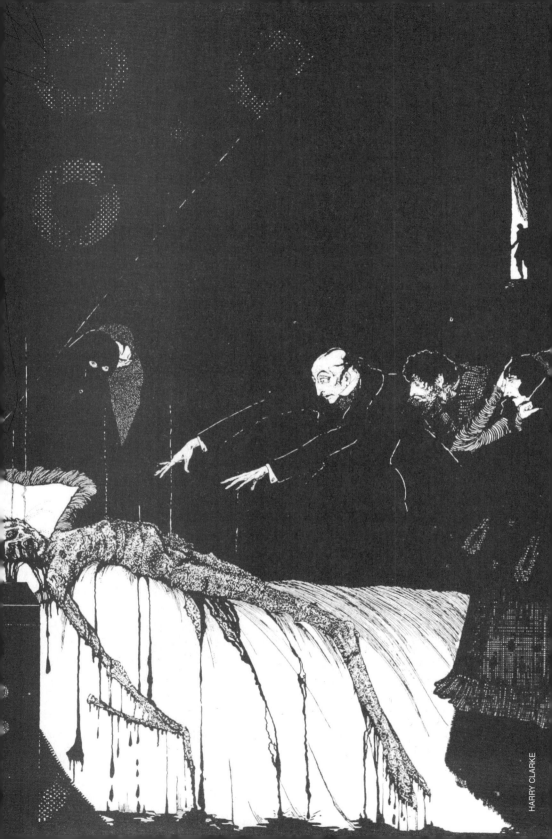

obra da morte poderia ser detida pelo processo. Havia outros pontos a serem esclarecidos, mas estes eram os que mais excitavam a minha imaginação, especialmente o último, pelas consequências imensamente importantes que podia vir a ter.

Ao procurar entre os meus conhecidos alguém em quem pudesse fazer a experiência, lembrei-me do meu amigo Ernest Valdemar, o conhecido organizador da Biblioteca Forense e autor (sob o pseudônimo de Issachar Marx) das versões polacas de *Wallenstein e Gargântua*. O Sr. Valdemar, cuja principal residência desde 1839 era Harlém, é (ou era) particularmente notável pela extrema magreza. Seus membros inferiores eram muito parecidos com os de John Randolph; e também pelas suíças, muito brancas em contraste flagrante com o negrume do cabelo. Era um homem de temperamento muito nervoso, o que o predispunha especialmente para cobaia de experiências hipnóticas. Por duas ou três vezes já o tinha adormecido sem grandes dificuldades; sob outros aspectos, porém, em que a sua constituição física me levara a esperar bastante, a experiência com ele foi uma desilusão. Nunca a sua vontade esteve positiva ou totalmente sob o meu controle e no que respeita à clarividência, nunca consegui nada dele digno de nota. Sempre atribuí o meu insucesso nesses pontos ao estado precário da sua saúde.

Alguns meses antes de o ter conhecido os médicos diagnosticaram- uma tísica em último grau. Na verdade, ele costumava falar com uma grande calma no seu fim próximo como um assunto que não podia ser evitado nem era de lamentar.

Quando me ocorreram pela primeira vez as ideias que já mencionei foi, pois, naturalmente que me lembrei do Sr. Valdemar. Conhecia demasiado bem a filosofia estoica do homem para temer quaisquer escrúpulos da sua parte; e não tinha parentes na América que pudessem vir a interferir. Falei-lhe, pois, abertamente no assunto; e para minha surpresa pareceu-me ficar vivamente interessado. Digo para minha surpresa, porque, embora tivesse sempre prestado de bom grado às minhas experiências, nunca antes me dera qualquer mostra de simpatia pelo meu trabalho. A sua doença era daquele tipo que permite prever com exatidão a época em que a morte seria a solução; e ficou assim combinado entre nós que me mandaria chamar vinte e quatro horas antes do momento previsto pelos médicos para a sua morte.

Faz agora mais de sete meses que recebi a seguinte mensagem escrita pelo punho do próprio Valdemar:

"Caro P...

O melhor é vir agora D... e F... afirmam que não passo da meia-noite de amanhã; e creio que previram a data com bastante acerto.

Valdemar."

Recebi esta nota meia hora depois de ela ser escrita e daí a um quarto de hora já me encontrava à cabeceira do moribundo. Não o via há uns dez dias e fiquei transtornado pela terrível alteração que este breve intervalo de tempo produzira nele. O rosto estava cor de chumbo; o brilho dos olhos apagara-se; e estava tão magro que se via os ossos através da pele. Expectorava excessivamente. Mal se lhe sentia o pulso. Conservava, no entanto, e de uma forma notável, o seu espírito arguto e uma certa força física. As suas palavras eram nítidas, tomava os seus medicamentos sem ajuda e, quando entrei no quarto, estava anotando qualquer coisa num livrinho de apontamentos. Estava sentado na cama, encostado a almofadas. Os Drs. D... e F... encontravam-se a seu lado.

Depois de apertar a mão de Valdemar, chamei os médicos de lado e obtive deles um relatório minucioso sobre o estado do doente. O pulmão esquerdo encontrava-se há dezoito meses num estado semiósseo ou cartilaginoso e, evidentemente, era inteiramente inútil para qualquer fim vital. A parte superior do pulmão direito estava parcialmente, senão totalmente, ossificada, enquanto a região inferior era apenas uma massa de tubérculos purulentos que cresciam uns sobre os outros. Existiam várias perfurações extensas e num determinado ponto a aderência às costelas era total. A situação do lobo direito era relativamente recente. A ossificação fora extremamente rápida; não havia sinais dela ainda no mês anterior e a aderência só há uma semana se manifestara.

Independentemente da tuberculose, suspeitava-se que o doente sofria de um aneurisma da aorta; mas aqui os sintomas ósseos tornavam impossível um diagnóstico exato. Na opinião de ambos os médicos, o Sr. Valdemar devia morrer por volta da meia-noite do dia seguinte (domingo). Eram então sete horas da tarde de sábado.

Ao saírem de junto da cabeceira do inválido para falarem comigo, os Drs. F... e D... despediram-se dele. Não tencionavam regressar; mas a meu pedido concordaram em visitar o paciente às dez horas da noite seguinte.

Depois de terem saído, falei livremente com o Sr. Valdemar sobre a dissolução que se aproximava, assim como, mais pormenorizadamente, sobre a experiência que me propunha realizar. Continuava a declarar-se disposto e até ansioso por tentá-la e suplicou-me que começasse imediatamente.

Tratavam dele um enfermeiro e uma enfermeira; mas não me sentia suficientemente à vontade para empreender uma tarefa de tal importância sem outras testemunhas de maior confiança que esta gente, não fosse vir a dar-se um acidente imprevisto. Adiei assim as operações para as oito horas da noite seguinte, altura em que chegou um estudante de medicina meu conhecido (o Sr. Theodore L-1), que aliviou as minhas preocupações. A minha intenção, originalmente, era esperar que os médicos chegassem, mas fui levado a começar, primeiro pelas súplicas prementes do Sr. Valdemar e, segundo, porque estava convencido de que não tinha tempo a perder, na medida em que era evidente o rápido declínio do doente.

O Sr. L-1 teve a gentileza de atender ao meu desejo de tomar notas de tudo o que acontecesse; e é a partir do seus apontamentos que aquilo que tenho a relatar foi ou resumido ou copiado.

Deviam faltar uns cinco minutos para as oito quando, tomando a mão do Sr. Valdemar, lhe pedi que declarasse o mais distintamente possível ao Sr. L-1 que era sua livre vontade que eu o hipnotizasse naquelas condições.

Respondeu em voz fraca, mas suficientemente audível:

– Sim, desejo ser hipnotizado.

Acrescentando imediatamente:

– Temo que tenha demorado demasiado.

Enquanto ele assim falava comecei os passes que sabia terem sobre ele os melhores resultados. Era evidente que o primeiro toque lateral da minha mão sobre a sua testa o influenciava; mas embora exercesse todos os meus poderes, não consegui obter mais nenhum efeito perceptível até às dez horas e poucos minutos, hora a que chegaram, como combinado, os Drs. D... e F... Expliquei-lhes em poucas palavras o que ia fazer, e como não puseram qualquer objeção prossegui sem hesitar. Troquei, contudo, os passes laterais por passes verticais e fixando o meu olhar no olho direito do doente.

Nesta altura o pulso era imperceptível e a respiração, estertorosa, tinha intervalos de meio minuto.

Esta situação permaneceu inalterada durante um quarto de hora. Quando este período expirou, do peito do moribundo saiu um suspiro muito profundo, embora natural, e a respiração estertorosa cessou; quer dizer, o estertor já não era aparente; os intervalos, esses não diminuíram. As extremidades do paciente estavam geladas.

Às onze horas comecei a notar sinais inequívocos da influência hipnótica. O rolar vítreo do olho foi substituído por aquela expressão de estranha observação interna que nunca é visível senão nos casos de sono-acordado e que é impossível de confundir. Com alguns passes laterais rápidos fiz as pálpebras semicerrarem-se como num sono incipiente e com mais alguns fechei-as completamente. Não estava, porém, ainda satisfeito e continuei vigorosamente as manipulações e com toda a força de vontade, até que os membros se tornaram rígidos depois de os ter colocado numa posição convenientemente confortável.

As pernas estavam perfeitamente estendidas, os braços repousavam sobre a cama, a pequena distância das coxas. A cabeça estava levemente soerguida.

Era quase meia-noite quando terminei e pedi então aos cavalheiros presentes que examinassem o Sr. Valdemar. Depois de algumas experiências admitiram que se encontrava num transe hipnótico invulgarmente perfeito. A curiosidade dos dois médicos ficou grandemente atiçada. O Dr. D... resolveu ficar com o doente toda a noite e o Dr. F... despediu-se, prometendo regressar de manhãzinha. O Sr. L-1 e os enfermeiros ficaram também.

Deixamos o Sr. Valdemar num sossego perfeito até cerca das três da manhã, hora que fui encontrá-lo exatamente no mesmo estado em que o Dr. F... o deixara, ou seja, continuava deitado exatamente na mesma posição; a respiração era suave (só se notava aplicando um espelho aos lábios); os olhos estavam fechados com naturalidade; e os membros rígidos e frios como mármore. Contudo, o aspecto geral não era certamente o da morte.

Ao aproximar-se do Sr. Valdemar fiz uma tentativa de influenciar o seu braço direito em obediência ao meu, passando este suavemente sobre ele. Nas experiências anteriores com o paciente nunca fora inteiramente bem-sucedido e é verdade que também desta vez não tinha grandes esperanças; mas para meu grande espanto o seu braço respondeu pronta, embora fracamente, ao meu e seguiu todos os movimentos que lhe indiquei. Resolvi experimentar uma breve conversa.

– Sr. Valdemar, está dormindo?

O doente não respondeu, mas reparei que os lábios lhe tremiam e isso levou-me a repetir a pergunta. À terceira vez todo o seu corpo se agitou como num ligeiro arrepio. As pálpebras abriram-se um pouco, mostrando uma linha branca do globo ocular; os lábios agitaram-se vagamente e num murmúrio quase inaudível pronunciaram estas palavras:

– Sim. Durmo agora. Não me acordem... deixem-me morrer assim.

Apalpei então os membros e senti-os tão rígidos como antes. O braço direito continuava a obedecer às ordens da minha mão. Fiz-lhe outra pergunta:

– Ainda sente dores no peito, Sr. Valdemar?

– Dores não... estou morrendo.

Achei por bem não o perturbar mais naquele momento e nada mais se disse ou fez até à chegada do Dr. F..., pouco antes do nascer do sol, que se mostrou extremamente surpreendido ao saber que o paciente ainda estava vivo. Depois de lhe tomar o pulso e encostar um espelho aos lábios, pediu-me que lhe voltasse a falar. Assim fiz, perguntando:

– Sr. Valdemar, ainda está dormindo?

Como da outra vez passaram vários minutos antes que se fizesse ouvir a resposta; e durante esse tempo parecia que o moribundo estava a reunir todas as suas energias para poder falar. Quando repeti a pergunta pela quarta vez, respondeu numa voz tão fraca que mal se ouvia:

– Sim, durmo ainda... morrendo.

Era agora opinião, ou antes desejo, dos médicos que não se perturbasse a aparente tranquilidade do Sr. Valdemar até que viesse a morte - o que, na opinião geral, devia acontecer dentro de breves minutos. Decidi, contudo, falar-lhe mais uma vez, mas limitei-me a repetir a pergunta anterior:

Enquanto falava deu-se uma alteração nítida no aspecto do hipnotizado.

Os olhos abriram-se sozinhos muito lentamente e as pupilas rolaram, desaparecendo por baixo das pálpebras superiores; a pele tomou um tom cadavérico mais semelhante a papel branco que a pergaminho; e as manchas circulares, que até então estavam bem definidas sobre as maçãs do rosto, como que se apagaram instantaneamente. Uso esta expressão porque a rapidez do seu desaparecimento não me sugeriu outra imagem que não fosse a de uma vela que se apaga com um sopro.

Ao mesmo tempo o lábio superior arreganhou-se sobre os dentes que até aí cobrira por completo; enquanto o maxilar inferior caía fazendo barulho, deixando a boca muito aberta e mostrando claramente a língua inchada e negra. Suponho que para nenhuma das pessoas presentes os horrores do leito de morte eram um espetáculo invulgar; mas tão horrível era nessa altura o aspecto do Sr. Valdemar que houve um movimento de recuo geral e todos se afastaram da cama.

Julgo que cheguei agora a um ponto nesta narrativa em que nenhum leitor conseguirá acreditar. É, porém, a minha obrigação continuar.

Não havia o menor sinal de vida no Sr. Valdemar; e concluindo que estava morto, íamos entregá-lo aos cuidados dos enfermeiros quando observamos que a língua se agitava numa forte vibração. Assim manteve-se durante talvez um minuto. Expirado este período brotou do maxilar distendido e imóvel uma voz, de um jeito que seria loucura da minha parte tentar descrevê-la. Mas poderia dizer, por exemplo, que era um som áspero, quebrado e profundo. O horror total era indescritível pela simples razão de que nunca um som semelhante ecoou aos ouvidos da humanidade. Havia dois pormenores, contudo, que, pensei naquele momento e ainda penso, poderiam caracterizar muito bem a entonação, poderiam transmitir uma ideia da sua peculiaridade sobrenatural.

Em primeiro lugar, a voz parecia chegar aos nossos ouvidos – pelo menos aos meus – vinda de uma grande distância ou de alguma profunda caverna das entranhas da terra. Em segundo lugar, impressionou-me (temo, realmente, que seja impossível fazer-me compreender) como as matérias gelatinosas ou pegajosas impressionam o sentido do tato.

Falei indiferentemente em voz e em som. Quero dizer que o som era distintamente silabado. O Sr. Valdemar falou obviamente em resposta à minha pergunta. Lembrem-se que lhe havia perguntado se dormia ainda. Disse, então:

– Sim... não... dormi... e agora... agora... estou morto.

Nenhum dos presentes tentou sequer negar ou reprimir o inexprimível e arrepiante terror que estas poucas palavras assim ditas transmitiam. O Sr. L-1, o estudante, desmaiou. Os enfermeiros saíram correndo do quarto e não houve forças que os convencessem a lá voltar. Quanto às minhas impressões não pretendo torná-las compreensíveis ao leitor. Durante quase uma hora ocupamo-nos em silêncio, sem pronunciar uma única palavra, em fazer o Sr. L-1 voltar a si. Depois disso feito, voltamos a investigar o estado do Sr. Valdemar.

Estava ainda como o descrevi há pouco, com a exceção de que o espelho já não dava qualquer prova de respiração. Uma tentativa de lhe tirar sangue do braço falhou. Devo mencionar também que o seu braço já não estava sujeito à minha vontade. Em vão me esforcei por fazê-lo obedecer à direção da minha mão. De fato a única indicação real da influência hipnótica encontrava-se agora no movimento vibratório da língua sempre que fazia uma pergunta ao Sr. Valdemar. Parecia que fazia um esforço para responder, mas que não lhe restava suficiente vontade. Às perguntas feitas por outras pessoas que não eu, parecia totalmente insensível, embora eu tentasse pôr cada um dos outros membros do grupo em contato hipnótico com ele. Creio ter contado agora o necessário para que o leitor compreenda qual era nessa altura o estado do hipnotizado. Contrataram-se outros enfermeiros; e às dez horas saí de casa em companhia dos dois médicos e do Sr. L-1.

À tarde voltamos todos para ver o paciente. O seu estado era precisamente o mesmo. Discutimos então a hipótese de o acordar; mas não nos foi difícil chegar à conclusão de que nada de bom nem de útil daí adviria. Era evidente que até agora, a morte (ou aquilo a que vulgarmente se chama morte) fora detida pelo processo hipnótico. Parecia-nos evidente a todos que acordar o Sr. Valdemar seria apenas provocar a sua imediata, ou pelo menos rápida, dissolução.

Desde aquele momento até o fim da semana passada – um período de quase sete meses – continuamos a visitar diariamente o Sr. Valdemar, acompanhados de vez em quando por médicos e amigos. Durante todo este tempo o estado do hipnotizado permaneceu exatamente como descrevi. Os enfermeiros nunca o abandonavam.

Foi na sexta-feira passada que decidimos finalmente fazer a experiência de o acordar ou de tentar acordá-lo; e foi o (talvez) infeliz resultado desta última experiência que deu origem a tanta discussão nos círculos privados, muitas das quais não posso deixar de atribuir aos sentimentos populares injustificadamente feridos.

Com o propósito de libertar o Sr. Valdemar do transe hipnótico utilizei os passes habituais. Estes, durante algum tempo, não tiveram qualquer resultado. A primeira indicação positiva foi fornecida por uma descida parcial da íris. Verificou-se, como especialmente digno de nota, que esta descida da pupila se acompanhou de um jorrar profuso de um líquido amarelado (vindo de trás das pálpebras) de um cheiro pungente e altamente nauseabundo.

Alguém sugeriu então que tentasse influenciar o braço do paciente como já fizera antes. Tentei, mas nada sucedeu. O Dr. F... manifestou-me então o seu desejo de que eu fizesse uma pergunta. Assim fiz, da seguinte maneira:

– Sr. Valdemar, pode explicar-nos o que sente ou deseja agora? Houve um regresso repentino das manchas héticas ao rosto; a língua oscilou ou, melhor, rolou violentamente na boca (embora os maxilares e os lábios se mantivessem rígidos) e finalmente a mesma voz hedionda que já descrevi soou:

– Por amor de Deus depressa, depressa... ponha-me a dormir... ou, depressa! Acorde-me depressa... estou a dizendo que estou morto.

Fiquei totalmente desorientado e, por momentos, incapaz de decidir o que fazer. Primeiro tentei readquirir o domínio do paciente; mas sem o conseguir, devido à total ausência da sua vontade, fiz marcha atrás num esforço tremendo para o acordar. Em breve percebi que esta tentativa seria coroada de êxito – ou pelo menos em breve imaginei que o meu êxito seria total – e creio que todos os que se encontravam no quarto estavam preparados para ver o paciente acordar.

Para aquilo que realmente aconteceu é impossível que qualquer ser humano pudesse estar preparado.

Enquanto eu fazia rapidamente os passes hipnóticos entre as exclamações de "morto!, morto!", que literalmente rebentavam na língua e não nos lábios do paciente, o seu corpo todo, num repente, no espaço de um único minuto ou talvez menos-, encolheu-se, desfez-se, apodreceu completamente sob as minhas mãos. Na cama, perante os olhos de toda a companhia, jazia uma massa quase líquida repugnante, de detestável podridão.

A QUEDA DA CASA DE USHER

The Fall of the House of Usher, 1839

Durante todo um dia pesado, escuro e mudo de outono, em que nuvens baixas amontoavam-se opressivamente no céu, eu percorri a cavalo um trecho de campo singularmente triste, e finalmente me encontrei, quando as sombras da noite se avizinhavam, à vista da melancólica Casa de Usher. Não sei como foi – mas, ao primeiro olhar que lancei ao edifício, uma sensação de insuportável angústia invadiu o meu espírito. Digo insuportável, pois tal sensação não foi aliviada por nada desse sentimento quase agradável na sua poesia, com o qual a mente ordinariamente acolhe mesmo as imagens mais cruéis por sua desolação e seu horror. Contemplei o cenário que tinha diante de mim: a casa solitária e as características simples da paisagem da propriedade, as paredes fustigadas pelo vento, as janelas vazias que pareciam olhos, algumas moitas de juncos luxuriantes e uns tantos troncos brancos de árvores definhadas. Com uma extrema depressão de ânimo para a qual não encontro comparação mais adequada com alguma sensação terrena que não seja a que sobrevém ao sonho da orgia do ópio, a amarga queda na vida cotidiana; o medonho tombar do véu. Havia uma frieza glacial, um abatimento, um mal-estar, uma irremediável escuridão de pensamentos que nenhum aguilhão da imaginação poderia deturpar, transformando-o em algo de sublime. Que seria que tanto me desalentava na contemplação da Casa de Usher? Tratava-se de um mistério completamente insolúvel; tampouco conseguia lutar contra as nebulosas fantasias que me assaltavam enquanto me-

HARRY CLARKE

ditava. Fui forçado a contentar-me com a conclusão insatisfatória de que há combinações de coisas simples que têm o poder de assim nos afetar, a análise desse poder ainda está entre as cogitações além do nosso alcance. Refleti que era possível que um simples arranjo diferente dos pormenores do cenário, das minúcias do quadro, seria suficiente para modificar, ou talvez para aniquilar a sua capacidade de suscitar impressões penosas; e, procedendo de acordo com esta ideia, dirigi o meu cavalo para a borda escarpada de uma lagoa, ou antes de um charco sombrio e lúgubre que formava um sereno espelho perto da residência, e olhei para baixo, com uma emoção ainda mais profunda do que antes para as imagens invertidas dos juncos e dos troncos espectrais, e das janelas paradas com olhos mortiços.

Apesar de tudo, resolvi então ficar durante algumas semanas nessa mansão de melancolia. Seu proprietário, Roderick Usher, fora um dos meus alegres companheiros de infância; mas muitos anos haviam decorrido depois que nos vimos pela última vez. Uma carta, havia pouco, chegou às minhas mãos num recanto distante do país; a qual, no seu tom grandemente impertinente, não admitia outra resposta a não ser a minha presença. A letra evidenciava a sua agitação nervosa. Falava numa doença física aguda – num distúrbio mental que o atormentava – e num grande desejo de me ver, por ser eu o seu melhor e, mesmo, o seu único amigo pessoal, esperando que a satisfação de me tornar a ver trouxesse algum alívio aos seus padecimentos. Foi a maneira como tudo isto, e muito mais do que isto, me foi dito – foi o coração que impregnava o seu pedido, o que não me permitiu um momento de hesitação; e, assim obedeci em seguida ao que, todavia, considerei uma convocação bastante singular.

Apesar de quando éramos crianças termos sido companheiros muito íntimos, eu realmente conhecia pouca coisa do meu amigo. A sua reserva sempre fora excessiva e habitual. Sabia, contudo, que a sua família, muito antiga, se distinguia, através de muito tempo, por uma particular sensibilidade de temperamento, assinalando-se, em muitas gerações, por muitas obras de arte exaltada, e que tivera, recentemente, gestos repetidos de caridade, embora cheia de discrição, manifestando uma devoção apaixonada pelas sutilezas, talvez mais ainda do que pelas banais belezas ortodoxas da ciência musical. Eu soubera, também, do fato muito notável de que o tronco genealógico de Usher, venerável como era, em nenhum período da sua existência dera origem a algum ramo que se conservasse; por outras palavras, que a família inteira só se perpetuava por descendência direta, e sempre se conservara assim, com variações muito temporárias e efêmeras. Enquanto observava mentalmente a perfeita concordância do estilo da propriedade com o suposto caráter dos habitantes e enquanto especulava sobre a possível influência que um, na longa ronda dos séculos, podia ter exercido sobre o outro, – ocorreu-me que essa falta de ramos colaterais e a consequente transmissão direta, de pai para filho, do patrimônio e do nome, tinha, finalmente, identificado a ambos de tal forma que dissolvera o título original da propriedade na denominação equivoca e estranha de *Casa de Usher,* denominação que parecia incluir, na mente dos camponeses que a usavam, a família e o solar da família.

Eu disse que só o efeito da minha experiência algo bem ingênuo, como olhar para o interior da lagoa, foi suficiente para acentuar a mais singular impressão. Não pode haver dúvida de que a consciência do rápido progresso da minha superstição – por que não haveria de dizer assim? – serviu principalmente para acelerar esse mesmo progresso. Assim, já o sei suficientemente, é essa a lei paradoxal de todos os sentimentos que têm o terror por base. E podia ter sido unicamente por esta razão que, quando novamente levantei os olhos para a própria casa, abandonando a contemplação da sua imagem na água, cresceu na minha imaginação uma estranha ideia, uma ideia tão ridícula, na verdade, que só faço alusão a ela aqui para mostrar a intensidade das sensações que me oprimiam. Eu tinha exaltado a minha imaginação de forma a realmente acreditar que em torno de toda a casa e do terreno flutuava uma atmosfera peculiar a ambos e à sua vizinhança imediata. Essa atmosfera não tinha afinidade com o ar do céu, mas que havia evaporado das árvores senis, das paredes cinzentas, do pântano silente, um vapor pestilento e místico, pesado, inerte, mal perceptível, cor de chumbo.

Afastando do meu espírito o que deve ter sido um sonho, examinei mais de perto o aspecto real do edifício. A sua feição principal parecia ser a de uma antiguidade excessiva. A ação dos séculos fora intensa. Ínfimos fungos cobriam-lhe todo o exterior, formando um debrum finamente tecido, que pendia dos beirais. Entretanto, não havia estragos mais acentuados. Nenhuma porção de alvenaria ruíra; e parecia haver uma extravagante incompatibilidade entre a ainda perfeita adaptação das partes e a condição precária de cada pedra. Nisto havia algo que me recordava a integridade aparente de uma velha obra de madeira que apodreceu no transcurso de longos anos nalgum subterrâneo esquecido, sem receber o contato da atmosfera exterior. Além desta indicação de velhice extrema, contudo, a estrutura dava poucos indícios de instabilidade. Talvez o olho de um observador atento tivesse descoberto a única fenda visível, a qual, estendendo-se do teto, na fachada, descia pela parede abaixo, formando ziguezigues, até se perder nas águas sombrias do charco.

Notando estes pormenores, encaminhei a montada para uma curta calçada que levava à casa. Um criado tomou o cavalo a seu cargo e penetrei na arcada gótica do vestíbulo. Um outro serviçal de passo furtivo conduziu-me então, em silêncio e através de várias complicadas e escuras passagens, até ao gabinete de trabalho do seu amo. Muito do que me deparei pelo caminho contribuiu, não sei como, para adensar os vagos sentimentos a que atrás me referi. Os objetos que me cercavam - os trabalhos dos tetos, as sombrias tapeçarias das paredes, a negrura de ébano dos soalhos e os fantasmagóricos troféus que chocalhavam à minha passagem não passavam de coisas iguais ou semelhantes àquelas a que me habituara desde a infância; embora não hesitasse em reconhecer como tudo isso me era familiar, continuava a estranhar a invulgar natureza das insólitas ideias que tais imagens comuns me suscitavam.

Numa das escadarias cruzei com o médico da família. A sua fisionomia, ao que me pareceu, revelava um misto de baixa astúcia e de perplexidade. Saudou-me tremulamente e prosseguiu o seu caminho. O criado abriu então uma porta e conduziu-me à presença do amo.

O compartimento em que me encontrei era muito amplo e alto. As janelas eram estreitas, alongadas e ogivais, e ficavam a tal distância do chão de carvalho negro que eram completamente inacessíveis do interior. Débeis raios de luz matizados de carmesim penetravam pelas gelosias e logravam tornar suficientemente visíveis os principais objetos circundantes. Mesmo assim, debalde o olhar se esforçava por alcançar os cantos mais afastados do aposento ou os recessos do teto abobadado e com ornatos em relevo.

Tapeçarias escuras pendiam das paredes. A mobília era profusa, sem conforto, antiquada, e encontrava-se em estado precário. Muitos livros e instrumentos de música estavam espalhados em torno, mas não conseguiam dar nenhuma vitalidade ao ambiente. Senti que estava respirando uma atmosfera de angústia. Um sopro de profunda, penetrante e irremediável tristeza andava no ar e tudo invadia.

Quando eu entrei, Usher se ergueu do sofá em que estava completamente reclinado e saudou-me com uma calorosa vivacidade – pensei inicialmente – da exagerada cordialidade, do esforço constrangido de um homem entediado. Contudo, um olhar à sua fisionomia convenceu-me da sua completa sinceridade. Sentamo-nos e, por momentos, enquanto ele se mantinha silencioso, observei-o com uma sensação meio de pena, meio de temor. Estou certo de que nunca houve homem que sofresse tão terrível modificação, em tão curto espaço de tempo, como Roderick Usher!

Não foi sem dificuldade que consegui admitir a identidade do ser lânguido que tinha perante a mim com o meu companheiro de infância. No entanto, o estilo da sua fisionomia sempre fora notável. Uma tonalidade cadavérica, uns olhos grandes, líquidos e de incomparável luminosidade, uns lábios finos e muito pálidos, mas de curvatura inexcedivelmente bela, um nariz de delicado tipo hebreu, mas com uma largura de narinas invulgar em configuração similar, um queixo finamente modelado, revelador, na sua ausência de relevo, de falta de energia moral, um cabelo mais macio e tênue que uma teia de aranha. Todos estes traços, aliados a um excessivo desenvolvimento da região superior às têmporas, criavam no seu conjunto uma fisionomia que dificilmente se poderia esquecer.

Agora, no simples exagero das características desses traços e da expressão que habitualmente apresentavam, tinham-se operado tantas alterações que eu duvidava de que o homem com quem falava pudesse ser o mesmo. A palidez hoje espectral da pele e o atual brilho miraculoso do olhar eram sobretudo o que mais me intrigava e chegando a atemorizar-me. Também o cabelo fora deixado crescer descuidadamente e como, na sua estranha textura filamentosa, mais parecia flutuar do que descair em redor do rosto, não consegui, por mais que me esforçasse, associar a sua expressão de arabesco a qualquer noção da vulgar humanidade.

Impressionou-me desde logo uma incoerência, uma inconsistência nas maneiras do meu amigo; e não tardei a descortinar que ela se devia a uma série de débeis e fúteis esforços para dominar um tremor habitual, uma excessiva agitação nervosa. Estava realmente preparado para algo semelhante, não apenas pela carta como também por reminiscências de antigos traços da infância e por conclusões extraídas da sua singular constituição física e temperamento. Os seus movimentos eram alternadamente vivos e indolentes. A voz se alterava rapidamente de uma trêmula indecisão (quando os espíritos vitais pareciam completamente ausentes) para uma espécie de enérgica concisão, aquela enunciação abrupta, convincente, pausada e cavada, aquela pronúncia pesada, equilibrada, gutural e perfeitamente modulada que se pode observar num bêbedo habitual ou no incorrigível comedor de ópio durante os períodos de mais intensa excitação.

Foi assim que falou do objeto da minha visita, do seu ardente desejo de me ver e do alívio que esperava que eu lhe proporcionasse. Por fim acabou por entrar no que entendia ser a natureza da sua enfermidade. Tratava-se, segundo ele, de um mal de família, de constituição, para o qual desesperara encontrar remédio: uma simples afecção nervosa – acrescentou imediatamente –, que sem dúvida em breve passaria. Manifestava-se através de um número de sensações anormais. Algumas destas, à medida que ele as particularizava, interessara-me e causaram-me pasmo. Talvez os termos e a maneira geral do seu modo de narrar exercessem a sua influência. Sofria muito de um aguçamento mórbido dos sentidos; o mais insípido alimento era-lhe insuportável; só podia usar roupas de certo tecido; o aroma de quaisquer flores lhe era opressivo; seus olhos eram torturados mesmo por uma réstia de luz; e havia apenas alguns sons peculiares, e estes de instrumentos de cordas, que não lhe causavam horror.

Compreendi que estava escravizado a uma sensação anormal de medo.

– Vou morrer, disse-me ele, tenho de morrer desta deplorável loucura. Aqui, e só aqui está o meu fim. Tenho medo dos acontecimentos futuros, não por eles mesmos, mas por seus efeitos. Estremeço à ideia de qualquer incidente, mesmo do mais trivial, que possa influir nesta intolerável agitação de espírito. Na verdade, não tenho aversão ao perigo, exceto no seu efeito absoluto – no terror. Nesta condição lastimável e precária, sinto que mais cedo ou mais tarde chegará a ocasião em que terei de abandonar, a um tempo, a vida e a razão, nalguma luta com o cruel fantasma: o medo.

Observei ainda, através de alusões ambíguas e fragmentárias, uma outra característica essencial do seu estado mental. Ele estava acorrentado, por certas impressões supersticiosas com relação ao lugar onde vivia, e de onde, por muitos anos, nunca se afastara – com relação a uma influência cuja força hipotética era exposta numa linguagem demasiado nebulosa .– influência que alguns detalhes da matéria e da forma da mansão familiar tinham, às custas de longo sofrimento, conseguindo exercer sobre seu espírito… efeito físico que as paredes das torres e do turvo pântano e o obscuro fosso em que tudo se mirava tinham acabado por exercer sobre a moral de sua existência.

Confessou, entretanto, que com hesitação, que grande parte da angústia que assim o atormentava podia ser atribuída a uma origem mais natural e muito mais palpável – à enfermidade longa e implacável – em verdade ao aniquilamento evidentemente próximo – de uma irmã ternamente amada, sua única companheira através de longos anos, seu único e último parente na terra.

– A morte dela – disse-me com uma amargura de que nunca posso esquecer-me – faria (a ele, tão desesperado e fraco) o último sobrevivente da velha estirpe dos Usher.

Enquanto falava, Lady Madeline (pois assim era ela chamada) passou através de uma parte remota do aposento e, sem ter notado a minha presença, desapareceu. Olhei-a com um grande espanto não isento de receio; e, todavia, achei impossível explicar semelhante impressão. Uma sensação de estupor me oprimia enquanto o meu olhar seguia os seus passos de retirada. Quando uma porta, finalmente, se fechou atrás dela, o meu olhar procurou instintivamente e avidamente a fisionomia do seu irmão; mas ele escondera o rosto entre as mãos, e só pude perceber que uma palidez mais profunda do que a normal se espalhara pelos seus dedos emaciados, dos quais gotejavam lágrimas ardentes.

O mal de Lady Madeline desafiara por muito tempo a habilidade dos médicos. Uma apatia estabilizada, uma lenta e gradual destruição física, e, frequentes embora rápidas afecções de aspecto parcialmente cataléptico, eram o diagnóstico habitual. Até então, ela lutara firmemente contra as investidas do mal, e não resolvera ainda a se entregar à cama; mas, ao cair da noite do dia de minha chegada à casa, submeteu-se (conforme seu irmão me relatou mais tarde numa indizível agitação) à força deprimente da enfermidade implacável. Compreendi que o olhar que eu obtivera de sua pessoa seria provavelmente o último que teria dela, que aquela dama, pelo menos enquanto vivesse, nunca mais seria vista por mim.

Por vários dias depois deste fato, o seu nome não foi mencionado nem por Usher nem por mim; e durante esse período, tive um grande trabalho para mitigar a melancolia do meu amigo. Pintávamos e líamos juntos, ou eu escutava, como num sonho, as extravagantes improvisações do seu violão. E assim, à medida que uma intimidade cada vez mais profunda me levava mais francamente aos recessos do seu espírito, percebi, com amargura crescente, a inutilidade de todas as tentativas para animar uma mente que impregnava de sombras, numa constante irradiação de angústia, como se tratasse de uma qualidade positiva inerente, todos os objetos do universo moral e físico.

Terei sempre a recordação das horas solenes que assim vivi em companhia apenas do Senhor da Casa de Usher. Contudo, falharei em qualquer tentativa para transmitir uma ideia do caráter exato dos estudos, ou das ocupações em que ele me envolveu. Um idealismo exaltado e altamente inquietante lançava um brilho cintilante por cima de tudo. As suas longas melopeias fúnebres andarão para sempre em meus ouvidos. Entre outras coisas, conservei penosamente a recordação de uma singular amplificação, ou antes, perversão de extravagante ária da última valsa de Von Weber. Das pinturas nas quais a sua fantasia requintada se comprazia, e que cresciam, pincelada a pincelada, atingindo uma fase na qual eu experimentava uma profunda emoção, sem lhe saber a causa – dessas pinturas eu me esforçaria em vão por dar aqui mais do que uma pálida imagem, valendo-me do âmbito da palavra escrita. Pela mais alta simplicidade, pela clareza dos seus traços, ela atraía e prendia a atenção. Se algum mortal pintou algum dia uma ideia, esse mortal foi Roderick Usher. Para mim, pelo menos, nas circunstâncias que então me cercavam, vinha das puras abstrações que o hipocondríaco intentava lançar na tela, uma sensação que jamais se repetiu em mim, nem mesmo na contemplação de certas fantasias de Fuseli, bastante arrebatadas, mas certamente concretas.

Uma das concepções fantasmagóricas de meu amigo, que não participava tão rigidamente do espírito de abstração, pode ser aqui delineada, embora de uma maneira precária. Um pequeno quadro apresentava o interior de uma abóbada ou túnel imensamente longo e retangular, com paredes baixas, lisas, brancas e sem interrupção ou ornato. Certos pontos acessórios do desenho serviam para dar a ideia de que essa escavação estava situada a uma profundidade excessiva, abaixo da superfície da terra. Nenhuma saída era visível em nenhuma parte da sua extensão, e não havia nenhuma tocha ou outra fonte artificial de luz; contudo, uma avalanche de raios luminosos invadia tudo, e banhava a cena com um esplendor impróprio e espectral.

Relatei há pouco esse estado mórbido do sentido da audição que tornava intolerável qualquer música, exceto certos efeitos de instrumentos de corda. Talvez fossem os estreitos limites do violão em que ele por isso se confinava, o que deu origem, em grande parte, ao estilo fantástico das suas composições. Mas a arrebatada facilidade dos seus improvisos não podia ser assim explicada. Deviam ter sido, de fato eram tanto a música como a letra das extravagantes fantasias (pois ele não raro acompanhava a sua música com improvisos poéticos) o resultado dessa intensa concentração e atividade mental, à qual aludi anteriormente como observável apenas em dados momentos da mais elevada exaltação artificial. Recordo facilmente as palavras de uma rapsódia. Talvez esses versos tenham me impressionado mais profundamente porque, na sua significação mística julguei perceber e pela primeira vez uma inteira consciência por parte de Usher do vacilar do trono da sua nobre razão. O poema intitulado o Solar dos Espectros era assim em essência:

I

Dos mais verde de nossos vales,
De anjos bons constituindo moradia,
Um formoso palácio deslumbrante
– Monumental paço – se erguia.
No império do monarca Pensamento
Tal templo mostrava a sua face:
Jamais roçou de asas de anjo o doce vento
Morada que de longe se lhe comparasse.

II

Bandeiras amarelas, soberbas e douradas
No seu topo flutuavam drapejantes
(Isto –- tudo isto – nas eras passadas,
Nos tempos para sempre bem distantes.)
E a cada doce brisa que então ia tocando,
Nesses dias em que a calma dominava,
As muralhas ornadas, branqueando,

Um odor alado se evolava.

III

Os que passavam nesse vale venturoso
Por duas lúcidas janelas entreviam
Almas que, ao som de um alaúde harmonioso,
Musicais, acordantes, se moviam
Em redor de um trono onde, sentado,
(Porfirogeneta verdadeiro!)
Num fausto à sua glória apropriado,
Se via desse reino o timoneiro.

IV

E de rubis e pérolas fulgindo
Era do belo paço formado o portal,
Através do qual vinha afluindo,
Brilhando sem cessar, uma real
Legião de Ecos, cuja doce missão
Consistia tão-somente em cantar
Em vozes belas sem comparação
Do seu rei o engenho e o bem-pensar.

V

Gente do mal, porém, que de luto vestia,
De assalto ao rei tomou o estado
(Ah, choremos, que o alvor de novo dia
Não mais verá o monarca desgraçado!)
E a glória que circundava essa morada
E de rubro a vestia, florescente,
Não passa ora de lenda já meio olvidada
Das sepultas eras do antigamente.

VI

E hoje quem o vale encontra na passagem
Vê pelas janelas rubramente iluminadas
Grandes formas que se agitam, qual miragem,
Ao som de entoações desafinadas,
Enquanto pela porta, horrivelmente,
Qual rio lúgubre e veloz no seu fluir,

Uma turba se agita eternamente
E ri – porém não pode já sorrir.

Recordo-me, perfeitamente, de que sugestões despertadas por esta balada nos levaram a uma corrente de pensamentos onde veio à tona uma opinião de Usher, que menciono não tanto pela sua novidade (pois outros homens assim também pensaram), como pela pertinácia com que ele a defendeu. Esta opinião, na sua forma geral, era a da sensibilidade das coisas vegetais. Mas na sua fantasia desordenada, a ideia assumira um caráter mais ousado, e ia, sob certas condições, até o reino dos inorgânicos. Faltam-me palavras para exprimir toda a extensão, ou o seu fervoroso abandono a essa ideia. A crença, entretanto, estava ligada (como anteriormente aludi) às pedras cinzentas do lar dos seus avós. As condições desta sensibilidade tinham sido aqui, segundo ele imaginava, cumpridas na metódica justaposição das pedras – na ordem da sua disposição, tanto como na dos muitos fungos que se espalhavam por elas, e das árvores existentes no terreno – acima de tudo, na longa e intacta duração dessa disposição, e na sua reduplicação nas águas paradas do pântano. A prova – a prova da sensibilidade – devia-se observar, disse ele (e aqui estremeci quando ele falou), na condensação gradual, mas certa, da atmosfera própria a essas águas e a essas paredes.

O efeito era perceptível, acrescentou ele, nessa muda, mas importuna e terrível influência que durante séculos tinha formado os destinos de sua família, e que fez dele o que agora eu estava vendo: o que ele era. Tais opiniões não necessitam de comentários e eu não os farei. Os nossos livros – os livros que, através de anos, tinham exercido uma influência não pequena na vida mental do enfermo – estavam, como se pode prever, em estrita harmonia com esse caráter fantástico. Nós nos debruçávamos juntos sobre obras como *Ververt et Chartreuse*; de Gresset; *Belphegor* de Maquiavel; *Heaven and Heil*; de Swedenborg; *Subterranean Voyage of Nicholas Klimm* de Holberg; *Chiromancy de Robert Flud*, de Jean d'Indagine, e de Dela Chambre; *Journey into the Blue Distance de Tieck* e *City of the Sun* de Campanella. Um volume favorito era a pequena edição do *Directorium Inquisitorium*, pelo dominicano Eymeric de Girone; e havia trechos em Pomponius Mela, sobre os quais Usher ficava sonhando horas a fio. O seu principal prazer, entretanto, encontrava-se na leitura de um curioso e excessivamente raro in- quarto em estilo gótico – o manual de uma igreja esquecida – *Vigiliae Morluorum Secundum Chorum Ecclesiae Maguntinae*. Não pude deixar de pensar no extravagante ritual desse livro, e na sua provável influência sobre o hipocondríaco, quando, certa noite, tendo-me ele informado bruscamente que a Lady Madeline falecera, externou a sua intenção de guardar o cadáver durante uma quinzena (antes do enterro final) num dos inúmeros nichos existentes nas paredes principais do edifício. A razão aparente, entretanto, invocada para esse singular procedimento, era de natureza que não me compete discutir. O irmão da morta fora levado a essa resolução (assim me disse ele) à vista do caráter extraordinário da enfermidade da defunta, e também por causa da curiosidade ávida e importuna por parte dos médicos dela e da distância em que se encontrava o jazigo da família. Não negarei que quando me lembrei da fisionomia sinistra da pessoa com quem me encontrei na escada, no dia de minha chegada à casa, não experimentei desejo algum de me opor ao que me pareceu uma precaução inofensiva e até certo ponto justificável.

A pedido de Usher, ajudei-o pessoalmente nos preparativos para o sepultamento temporário. Posto o corpo num ataúde, sozinhos, o levamos para o seu repouso no nicho onde o colocamos (e que permanecera por tanto tempo fechada que as nossas tochas, quase extintas pela sua atmosfera opressiva, deram-nos pequena oportunidade para investigação) era pequena, úmida e inteiramente privada de luz; ficava a grande profundidade, imediatamente abaixo da parte do edifício em que estava situado o meu próprio quarto de dormir.

Esse subterrâneo fora utilizado, em remotas épocas feudais, como cárcere e, em tempos mais próximos, como depósito de pólvora ou alguma outra substância altamente combustível, visto que uma parte do chão e todo o interior de uma longa arcada, através da qual chegamos à câmara, estavam cuidadosamente forrados com cobre. A porta, de ferro maciço, fora também protegida do mesmo modo. O seu peso causava um rangido insolitamente áspero, irritante, quando se movia nos seus gonzos.

Tendo depositado a nossa carga fúnebre sobre uma espécie de mesa, nessa região de horror, afastamos parcialmente a tampa ainda não aparafusada do ataúde, e olhamos para o rosto da morta. Uma notável semelhança física entre o irmão e a irmã pela primeira vez feriu então a minha atenção. Usher, adivinhando talvez os meus pensamentos, murmurou algumas palavras pelas quais soube que a finada e ele tinham sido gêmeos, e que afinidades de uma natureza dificilmente inteligível sempre tinham existido entre ambos. Os nossos olhares, todavia, não se conservaram por muito tempo sobre o cadáver, pois não podíamos contemplá-lo sem pavor. A doença que assim levara ao túmulo aquela mulher em pleno vigor da mocidade deixara, como acontece em todas as moléstias de caráter estritamente cataléptico, a ironia de um leve rubor no seio e no rosto, e esse sorriso tênue que é tão terrível nos lábios da morte. Tornamos a colocar e aparafusamos a tampa, e, depois de fechar a porta de ferro, dirigimo-nos, cansados, para os aposentos um pouco menos lúgubres da parte alta da casa.

E agora, passados alguns dias de grande amargura, uma visível mudança operou-se no aspecto do distúrbio mental do meu amigo. As suas maneiras habituais alteraram-se. As ocupações ordinárias foram esquecidas. Vagava de sala para sala com passos apressados, desiguais, e como que sem destino. A lividez do seu rosto tomara um tom ainda mais cadavérico – mas a luminosidade dos seus olhos tinha-se dissipado inteiramente. A rouquidão ocasional da sua voz não mais se ouvia; e um tremor como que causado por medo atroz habitualmente caracterizava a sua elocução. Havia ocasiões, na verdade, em que eu julgava que a sua mente incessantemente agitada estava em luta com algum segredo opressivo, para cuja divulgação ele procurava a coragem necessária.

Às vezes, eu era forçado a explicar com os inexplicáveis caprichos da demência, pois o via de olhar perdido e fixo durante longas horas, numa atitude que denotava a mais profunda atenção, como se estivesse escutando algum som imaginário. Não era de admirar que o seu estado me inspirasse terror; que quase me contagiasse. Eu sentia subirem em mim, lenta mas seguramente, as bizarras influências das suas próprias superstições, fantásticas mas também impressionantes.

Foi principalmente ao recolher-se um pouco tarde, na noite do sétimo ou oitavo dia depois do encerramento do corpo da Lady Madeline na câmara, que experimentei todo o poder de tais impressões. O sono parecia evitar a minha cama e as horas passavam num moroso cortejo. Eu lutava por dominar o nervosismo que se apoderara de mim. Procurava fazer-me crer que grande parte, se não a tonalidade das minhas impressões, era devida à influência desconcertaste da mobília austera e triste do quarto; das tapeçarias escuras e estragadas que, tocadas pelo sopro de uma tempestade iminente, mexiam-se caprichosamente nas paredes e roçavam penosamente nos adornos da cama. Os meus esforços, porém, foram infrutíferos. Um invencível tremor gradualmente se apoderou de meu corpo; e, finalmente, instalou-se no meu próprio coração o íncubo do mais absurdo alarme. Fazendo um esforço e com uma arfada, ergui-me sobre o travesseiro e, procurando ver através da intensa escuridão reinante no quarto, pus-me à escuta, levado por uma força instintiva, e ouvi certos sons baixos e indefiníveis que vinham, entre as pausas da tempestade, com longos intervalos, não sei de onde. Dominado por uma intensa sensação de pavor, inexplicável e intolerável, vesti-me depressa (pois compreendi que não dormiria mais naquela noite) e procurei furtar-me ao lamentável estado em que caíra, caminhando rapidamente, para um lado e outro, ao longo do aposento. Fizera poucas voltas, quando leves passadas numa escada próxima feriram a minha atenção. Reconheci-as logo como sendo de Usher. Um instante depois, ele bateu muito de leve na minha porta, e entrou, com uma lamparina na mão. O seu rosto apresentava, como de costume, uma lividez cadavérica – mas, além disso, havia uma espécie de hilaridade de demência nos seus olhos – e uma histeria evidentemente contida se percebia por todo o seu aspecto. O seu ar me apavorou – mas tudo era preferível à solidão que eu sofrera através de tantas horas, e quase agradeci a sua presença como a uma consolação.

– Não viu isso? – disse bruscamente, depois de ter olhado em torno em silêncio, durante alguns momentos. – Então você não viu isso? Olhe, venha ver. Assim falando, e depois de proteger cuidadosamente a lamparina, apressou-se na direção de uma das janelas e escancarou-a para a tempestade.

A impetuosa violência da rajada que entrou no quarto quase nos lançou ao chão. Era realmente, uma bela noite de tempestade, singular e bizarra no seu horror e na sua beleza. Um redemoinho evidentemente percorria com toda a sua força a nossa vizinhança, pois havia frequentes e violentas alterações na direção do vento; e a excessiva densidade das nuvens (que andavam tão baixo que tocavam os torreões do edifício), não impedia que percebêssemos a velocidade com que elas fluíam na distância. Digo que nem mesmo a sua excessiva densidade não impedia que percebêssemos estas coisas – mas não tínhamos um vislumbre sequer da lua ou das estrelas, nem chegava até nós o resplendor do relâmpago. Mas a base das enormes massas agitadas de vapor, assim como todas as coisas terrestres situadas imediatamente em torno de nós, brilhavam na claridade anormal de uma exalação gasosa, levemente luminosa e distintamente visível, a qual flutuava no ar e envolvia a casa.

– Você não deve... você não pode ficar olhando isso! – disse eu, estremecendo, para Usher, puxando-o suavemente, da janela para uma cadeira. – Essas aparências que o espantam são simples fenômenos elétricos não muito raros, e talvez tenham a sua origem fantástica nos miasmas do charco. Vamos fechar essa janela; o ar está demasiado frio e perigoso para a sua constituição. Aqui tem um dos seus romances favoritos. Eu lerei e você escutará: e assim venceremos juntos esta noite terrível.

O velho volume que eu agarrara era o *Mad Trist* de Sir Launcelot Canning; mas eu o chamara livro favorito de Usher mais por gracejo do que a sério. Havia pouca coisa na sua prolixidade tosca e quase nada imaginosa, que pudesse ter interesse para a espiritualidade e o sublime idealismo do meu amigo. Era, todavia, o único livro imediatamente à mão; e eu alimentava uma vaga esperança de que a excitação que então agitava o hipocondríaco, pudesse encontrar alívio (pois a história dos distúrbios mentais está cheia de anomalias semelhantes), mesmo nos excessos de tolices que eu devia ler. Se eu pudesse julgar pela atitude concentrada de atenção com que ele escutava, ou aparentemente escutava as palavras da narração, poderia congratular-me pelo êxito de minha lembrança.

Eu chegara àquela parte muito conhecida da história, em que Ethelred, o herói do Trist, tendo procurado inutilmente, por meios brandos, penetrar na habitação do eremita, resolve entrar à força. Nesta altura, o texto da narrativa diz:

"E Ethelred, que era um homem valente, e que estava agora ainda mais forte em virtude do generoso vinho que tomara, não esperou mais para parlamentar com o eremita, que, na verdade, era de caráter obstinado e maligno, mas, sentindo a chuva nos ombros, e receando o recrudescimento da tempestade, ergueu a maça e, desferindo golpes sobre golpes, abriu rapidamente um rombo na porta por onde podia entrar a sua manopla; e ora puxando a porta tenazmente, ora batendo com fúria, fez tudo em pedaços, levantando grande barulho da madeira seca, que alarmou e repercutiu por toda a floresta."

Quando acabei esta frase parei e, por um momento, fiquei em silêncio, pois (embora logo percebesse que a minha imaginação excitada me iludira) parecia-me que, de alguma parte muito remota da casa, vinha indistintamente até os meus ouvidos, o que podia ter sido, na sua exata semelhança de caracteres, o eco (sem dúvida um eco sumido, abafado) dos sons que Sir Launcelot descrevera havia pouco. Evidentemente, só a coincidência é que me ferira a atenção; porque, entre os estalidos das janelas e os outros ruídos confundidos e comuns da tempestade sempre crescente, o som em si mesmo nada tinha que pudesse ter-me interessado ou perturbado. Continuei a história:

"Mas o bom campeão Ethelred, penetrando agora pela porta, ficou grandemente irritado e confundido por não perceber sinal algum do maligno eremita. No lugar dele, um dragão escamoso e de aspecto prodigioso, com uma língua ígnea, montava guarda diante de um palácio de ouro, com chão de prata; e da parede pendia um brilhante escudo de bronze com esta inscrição:

'Quem entrar aqui será vencedor; quem matar o dragão apoderar-se-á do escudo. '

"E Ethelred levantou a clava e abateu-a na cabeça do dragão, que caiu diante dele, exalando um sopro pestilento – o seu último alento – com um guincho tão horrível, áspero e penetrante, que Ethelred tapou os ouvidos com as mãos, para fugir àquele som estranho e medonho".

Nesse momento fiz uma pausa, e agora com uma impressão de desconcertante estupefação – pois não havia dúvida nenhuma de que naquele momento eu efetivamente ouvia (embora me fosse impossível precisar de que direção provinha) um som agudo irritante, prolongado, penetrante como um grito esganiçado, que parecia vir de longe – a reprodução exata daquilo que a minha imaginação concebera com relação ao bramido selvagem do dragão, conforme a descrição do escritor.

Impressionado, como sem dúvida me encontrava, pela ocorrência desta segunda e extraordinária coincidência, por mil sensações contraditórias, em que predominavam o pasmo e o terror extremos, ainda conservei suficiente presença de espírito para evitar o agravamento, por contágio, da sensibilidade do meu companheiro. Não duvidava de que ele tivesse reparado nos sons de que falei; e, mesmo, uma estranha alteração se operava, durante os últimos minutos, no seu exterior.

De uma posição à minha frente, ele gradualmente torcera a cadeira de modo a ficar voltado para a porta do quarto; e assim eu podia apenas ver parcialmente as suas feições, percebendo que os seus lábios tremiam como se ele estivesse murmurando qualquer coisa inaudível. A sua cabeça caíra-lhe sobre o peito – eu sabia, porém, que não dormia, porque, pelo seu perfil, podia ver que conservava os olhos rigidamente abertos. Os movimentos do seu corpo me firmavam também nessa conclusão, pois ele oscilava suave, mas constante e uniformemente. Tendo rapidamente observado tudo isso, voltei à narrativa de Sir Launcelot, que continuava como segue:

"E agora o campeão, tendo escapado à terrível fúria do dragão, voltou a sua atenção para o escudo de bronze e pensou na quebra do encanto que pesava sobre ele. Afastou a carcaça para um lado e aproximou-se decididamente, pisando no pavimento de prata do castelo, do lugar onde pendia o escudo; este, porém, não esperou pela sua ação, e caiu aos seus pés, no chão de prata, com um tinido retumbante, ensurdecedor".

A últimas sílabas nem bem haviam passado através dos meus lábios e – como se um escudo de bronze tivesse realmente, naquele momento, caído pesadamente num pavimento de prata percebi um ruído distinto, profundo, metálico e estridente, embora aparentemente velado. Completamente desatinado, pus-me de pé num salto; mas os movimentos ritmados de Usher não se alteraram.

Corri em direção da cadeira em que ele estava sentado. Seus olhos estavam fixamente perdidos no espaço, e em todo o seu rosto havia uma rigidez de pedra. Mas, quando coloquei a minha mão sobre o seu ombro, um forte estremecimento percorreu-lhe todo o corpo, um sorriso doentio apareceu nos seus lábios; e percebi que ele falava com uma voz ininteligível, sumida como um murmúrio, como se ignorasse a minha presença. Inclinando-me sobre ele, consegui finalmente apanhar a medonha significação das suas palavras.

– "Estarei agora ouvindo aquilo? Sim, estou ouvindo e tenho ouvido. Por muito, muito tempo, muitos minutos, muitas horas, muitos dias, tenho ouvido isso; mas não ousava... Oh! piedade para mim, para um miserável! Eu não ousava... Eu não ousava falar! Nós a pusemos viva no túmulo! Eu não dizia então que os meus sentidos estavam aguçados? Agora digo a você que ouvi os seus primeiros débeis movimentos no silencioso ataúde. Eu os ouvi, há muitos, muitos dias; entretanto, não ousei... não ousei falar! E agora... esta noite... Ethelred... Ha! Ha! A destruição da porta do eremita, e o grito de morte do dragão, e o estrondo do escudo... E a abertura do seu ataúde, o ranger dos gonzos da sua prisão, a ressonância das paredes forradas de cobre do subterrâneo! Oh! para onde fugirei? Não irá ela aparecer aqui dentro de um momento? Não se está apressando para censurar a minha intenção? Não estou ouvindo os seus passos lá na escada? Não é isto o terrível e lento pulsar do seu coração? Insensato!"

Ele se pôs galvanicamente de pé e gritou estas sílabas, como se fizesse o esforço do último alento – Insensato! Eu afirmo que ela agora está de pé atrás da porta!

Como se na energia sobre-humana da sua elocução houvesse o poder de um sortilégio, as enormes e antiquadas almofadas, para as quais ele apontava, recuaram vagarosamente, nesse instante, as suas graves bocas de ébano. Era a obra de uma formidável rajada – mas, escancarada a porta, apareceu, de pé, a figura altaneira e amortalhada da Lady Madeline de Usher. Havia sangue na sua veste branca e vestígios de alguma luta áspera em cada parte do seu corpo emagrecido.

Por um momento, ela ficou, trêmula, a vacilar no umbral – depois, com um pequeno grito lamentoso, caiu pesadamente para dentro, sobre o corpo de seu irmão, e, na sua violenta e agora final agonia, o que ela arrastou para o chão foi apenas um cadáver, a vítima dos horrores que ele mesmo previra.

Daquele quarto e daquela casa, eu fugi espantado. A tempestade continuava desencadeada, com toda a sua fúria, quando me vi finalmente atravessando o velho caminho pavimentado. De repente, surgiu ao longo do caminho uma luz estranha, e eu me voltei para ver donde poderia ter saído uma claridade tão insólita, pois atrás de mim só havia a mansão com suas sombras. O resplendor vinha de uma lua no ocaso grande e cor de sangue, que agora brilhava vivamente através daquela fenda antes apenas perceptível, da qual eu disse que se estendia desde o telhado do edifício, fazendo ziguezague, até ao alicerce. Enquanto eu olhava, esta fenda rapidamente se alargou – houve uma rajada mais impetuosa da ventania – o globo inteiro do satélite invadiu de repente o campo de minha visão – meu cérebro sofreu um desfalecimento quando vi que as grossas paredes ruíam, despedaçando-se. Houve um longo e tumultuoso estrondo, como som das cataratas, e a profunda e sombria lagoa aos meus pés fechou-se funebremente por sobre os destroços da Casa de Usher.

PEQUENA DISCUSSÃO COM UMA MÚMIA

Some Words with a Mummy, 1845

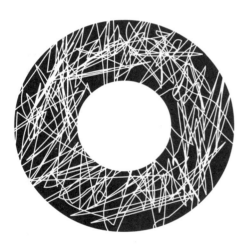

simpósio da noite precedente tinha-me estafado os nervos. Doía-me horrorosamente a cabeça, e eu caía de sono. Em lugar de passar a noite fora, como pretendia, pensei que era melhor jantar e meter-me imediatamente na cama.

Um jantar ligeiro, seria o ideal. Adoro os assados temperados com queijo, mas comer 1 libra de carne, à noite sobretudo, não é prudente. Todavia até duas não pôde haver objeção material e, na realidade, entre duas e três não há senão a diferença de uma unidade. Aventurei-me talvez até quatro. Minha mulher diz que foram cinco, mas evidentemente foi confusão de duas coisas bem distintas. O número abstrato cinco, estou disposto a admiti-lo. Quanto ao concreto, só referindo-se às garrafas de Brown Stout, sem cujo complemento os assados com queijo são difíceis de digerir.

Terminada aquela refeição frugal, pus minha touca de dormir com a esperança serena de dormir até o dia seguinte ao meio dia, pelo menos; deitei a cabeça no travesseiro e, graças à tranquilidade de uma consciência irrepreensível, peguei imediatamente no sono.

Mas o homem põe e Deus dispõe.

Ainda não tinha entrado no meu primeiro sono quando uma furiosa campainhada retumbou à porta da rua, seguida de argoladas impacientes que me acordaram em sobressalto. Um minuto depois, minha mulher metia-me pelos olhos um bilhete do meu velho amigo, o Dr. Ponnonner, que me dizia:

"Largue tudo, meu caro amigo, e vem à minha casa logo que tiver recebido esta carta. Vem partilhar a nossa alegria. Enfim, graças a uma teimosa diplomacia, arranquei dos diretores do City Museum o consentimento para o exame da múmia (sabei de que múmia quero falar). Tenho licença de a desenfaixar; de a abrir, até, se julgar conveniente. Só assistirão meia dúzia de amigos. Não preciso dizer que faz parte do número. A múmia está já em minha casa. Começaremos a desembrulhá-la às onze horas da noite.

Vosso,
Ponnonner"

Antes de chegar à assinatura, o sono tinha ido embora. Saltei da cama num estado de verdadeiro delírio, empurrando tudo o que me caía debaixo das mãos; vesti-me com uma ligeireza milagrosa e dirigi-me sem mais demora a casa do doutor.

Aí achei reunida uma sociedade muito animada. Esperavam-me com grande impaciência para começar o exame da múmia, a qual estava já estendida sobre a mesa da sala de jantar.

Era uma das duas múmias que o capitão Arthur Sabretash, primo de Ponnonner, trouxera há alguns anos do túmulo de Eleitias, nas montanhas da Líbia, um pouco acima de Tebas, nas margens do Nilo. Naquele lugar, os túmulos, posto que menos ricos do que as sepulturas de Tebas, são muito mais interessantes, pelo que encerram maior número de personagens ilustres do mundo egípcio. A sala de onde havia sido tirado o nosso espécime era muito rica em documentos daquela natureza; as paredes eram completamente cobertas de pinturas a fresco e baixos relevos; numerosas estátuas, vasos e um mosaico de um desenho magnífico testemunhavam a enorme fortuna dos defuntos.

Aquela raridade havia sido depositada no Museum exatamente no mesmo estado em que o capitão Sabretash a encontrara; quer dizer que o caixão estava ainda intacto.

Durante oito anos ficara assim exposta à curiosidade pública só pelo lado exterior. Tínhamos pois a múmia completa. Quem sabe quão raro é ver chegar aos nossos países essas antiguidades preciosas avaliará se tínhamos ou não razão de nos felicitar.

Aproximando-me da mesa vi uma espécie de arca grande, oblonga, mas não em forma de esquife; talvez com sete pés de comprido, dois e meio de profundidade e pouco mais ou menos três de largura. A princípio pensamos que era de madeira de sicômoro, mas cortando-a reconhecemos que era de cartão ou mais propriamente de uma massa dura feita de papiro. As pinturas grosseiras, que a decoravam, representavam cenas fúnebres e diversos assuntos lúgubres, entre os quais serpenteava uma sementeira de caracteres hieroglíficos dispostos em todos os sentidos, significando evidentemente o nome do defunto. Por felicidade, estava ali M. Oliddon, que nos traduziu, sem dificuldade, os sinais, que eram simplesmente fonéticos e compunham a palavra Allamistakeo.

Tivemos algum trabalho para abrir a caixa sem a estragar; e quando conseguimos, encontramos uma segunda, essa então em forma de esquife e de umas dimensões muito menores do que a caixa exterior. No resto era semelhante. O intervalo entre as duas estava cheio de resina, que tinha até certo ponto deteriorado as cores da caixa interior.

Depois de termos aberto esta (o que fizemos com facilidade) chegamos a uma terceira, igualmente em forma de esquife, não diferindo da segunda senão na matéria, que era cedro e exalava ainda o perfume fortemente aromático característico desta madeira. Entre a segunda e a terceira caixa não havia intervalo, adaptando-se exatamente àquela.

Desfazendo a terceira caixa descobrimos finalmente o corpo. Esperávamos encontrá-lo como o costume, envolvido em faixas ou ataduras de linho, mas em lugar disso achamos uma espécie de capa feita de papiro e revestida com uma camada de gesso grosseiramente pintada. As pinturas tinham por assunto principal os supostos deveres da alma no outro mundo e a sua apresentação às diferentes divindades. Depois, uma quantidade de figuras humanas, provavelmente retratos de família. Da cabeça aos pés estendia-se uma inscrição vertical em hieróglifos fonéticos dizendo outra vez o nome e os títulos do defunto e os nomes e os títulos dos pais.

Tiramos o corpo da capa. Em volta do pescoço tinha um colar formado por pedaços de vidro cilíndricos de diferentes cores, figurando imagens de divindades, entre outras a imagem do escaravelho com o globo alado. A cintura era adornada por um cinto semelhante.

As carnes estavam perfeitamente conservadas e sem cheiro sensível. A cor era avermelhada; a pele rija, lisa e brilhante. Os dentes e os cabelos pareciam em bom estado. Os olhos (pelo menos assim parecia) tinham sido tirados e substituídos por olhos de vidro muito bonitos, imitando maravilhosamente o real, salvo a fixidez demasiado pronunciada. Os dedos e as unhas estavam brilhantemente dourados.

Da cor avermelhada da epiderme, M. Gliddon inferiu que o embalsamamento havia sido praticado unicamente com asfalto, mas tendo raspado a superfície com um instrumento de aço e lançado ao fogo o pó assim obtido. Sentimos exalar-se um perfume de cânfora e de outras substâncias aromáticas.

Examinamos cuidadosamente o corpo para descobrir as incisões habituais por onde se extraem as entranhas, mas, com grande surpresa nossa, não descobrimos vestígios de incisão. Nesse tempo, nenhum de nós sabia ainda que não é raro encontrar múmias inteiras e não incisadas.

Ordinariamente o cerebelo despejava-se pelo nariz; os intestinos por uma incisão que se abria no flanco. O corpo era então raspado, lavado e salgado. Deixava-se assim durante algumas semanas, depois começava propriamente a operação do embalsamamento.

Como não se podia achar vestígio algum de abertura, o Dr. Fonnonner preparava os instrumentos de dissecação quando eu observei que já passava das duas horas.

Diante disto, concordamos em adiar o exame interior para a noite seguinte. Íamos já nos separar quando alguém sugeriu fazer uma ou duas experiências com a pilha de Volta.

A aplicação da eletricidade a uma múmia de pelo menos três ou quatro mil anos era uma ideia pouco sensata, mas bastante original.

A fim de executarmos esse belo projeto, no qual entrava um décimo de seriedade e nove bons décimos de brincadeira, dispusemos uma bateria elétrica no gabinete do doutor e transportamos para lá o egípcio.

Não foi sem grandes esforços que chegamos a pôr a nu uma parte do músculo temporal, que parecia estar um pouco menos rijo do que o resto do corpo, mas que, naturalmente, como já esperávamos, não deu o mínimo indício de suscetibilidade galvânica quando o pusemos em contato com o fio. Esta primeira experiência pareceu-nos decisiva. Rindo de boa vontade do nosso próprio absurdo, despedimo-nos e íamos nos retirar, mas olhando casualmente para a múmia descobri nos seus olhos alguma coisa que me obrigou a observá-la atentamente. Os globos que tínhamos julgado ser de vidro e que primitivamente se distinguiam por uma fixidez singular estavam agora tão bem fechados dentro das pálpebras que deixavam ver uma pequena parte da túnica albugínea.

Àquela descoberta soltei um grito de espanto que chamou a atenção dos meus colegas para o fato, que se tornou evidente para todos.

Não direi que ficasse assustado com o fenômeno, porque a palavra assustado não era precisamente a palavra correta. Contudo, pode ser que, sem a minha provisão de Brown Stout, talvez tivesse sentido ligeiramente inquieto. Quanto às outras pessoas da sociedade, nem mesmo pensaram em esconder o seu terror. O Dr. Ponnonner dava pena; M. Grliddon, não sei por que processo particular, havia-se tornado invisível; M. Silk Buckingham, esse, creio que não terá a audácia de negar que se meteu debaixo da mesa.

Passado o primeiro abalo de espanto, resolvemos tentar imediatamente nova experiência. As nossas operações foram então dirigidas ao artelho do pé direito. Fizemos um golpe acima da região do osso *sesamoideum pollicis pedis* até encontrarmos o músculo abdutor. Aplicamos de novo o fluido aos nervos descobertos e eis senão que a múmia, com um movimento mais vivo do que a própria vida, levantou o joelho à altura do abdômen; depois, endireitando a perna com uma força inconcebível, deu um pontapé no Dr. Ponnonner e projetou-o pela janela com a velocidade de um projétil de catapulta.

Corremos todos para a rua a fim de recolher os restos mutilados do desgraçado *gentleman*, mas tivemos a felicidade de o encontrar já na escada, subindo com uma ligeireza extraordinária, fervendo em ardor filosófico e mais que nunca convencido da necessidade de prosseguirmos as nossas experiências com todo o zelo e rigor.

Foi pelo seu conselho e vontade que fizemos imediatamente ao egípcio uma profunda incisão na ponta do nariz. Então o doutor, colocando a mão com força, esmurrou-o violentamente de encontro ao fio metálico.

Moral e fisicamente, metafórica e literalmente, o efeito foi elétrico. Primeiro, o cadáver abriu os olhos, piscando-os com mágica celeridade; depois espirrou; em seguida sentou-se; então cerrou os punhos e aproximou-os do nariz de Ponnonner; por fim, voltando-se para Gliddon e Buckingham, dirigiu-lhes num egípcio puro o discurso seguinte:

– Devo dizer-vos, gentlemen, que estou tão magoado como surpreendido com a vossa conduta. Da parte do Dr. Ponnonner não havia mais que esperar. É um pobre bobão que nada sabe de coisa nenhuma. Tenho pena dele, coitado, e por isso perdoo-o. Mas vós, Sr. Gliddon, e principalmente vós, Silk, que residistes tanto tempo no Egito a ponto de parecerdes ter nascido nas nossas terras, que vivestes conosco e aprendestes a falar a nossa língua como a vossa própria... vós, que eu me tinha habituado a considerar como o amigo mais fiel das múmias... de vós, digo, esperava uma conduta mais correta. Que devo pensar da vossa impassível tranquilidade ao ver-me tratado de semelhante modo? Que devo supor quando permitis a Pedro e a Paulo de me despojar dos meus esquifes e das minhas vestes para me expor a este inóspito clima gélido? Debaixo de que ponto de vista devo, enfim, considerar a vossa ação de ajudar e incitar este miserável velhaco do Dr. Ponnonner a puxar-me pelo nariz?

A maior parte das pessoas vai pensar agora que, ao ouvir semelhante discurso, cada um de nós enfiou pela porta ou que tivemos ataques de nervos, ou ainda que desmaiamos. Todas estas coisas eram prováveis e todas elas bons caminhos a seguir, pelo que nem sei como não seguimos nenhum deles. Talvez a razão esteja no espírito do século, que procede segundo a lei dos contrários, considerada como solução de todas as antinomias e como fusão de todos os contraditórios. Ou talvez, no fim de contas, fosse unicamente porque as maneiras naturais e familiares da múmia tirassem às suas palavras todo o poder aterrador. Fosse lá por que fosse, os fatos são que nem um dos membros da sociedade mostrou medo ou pareceu acreditar que se tivesse passado ali algo de anormal.

Quanto a mim, convencido de que tudo aquilo era muito natural, não fiz mais do que desviar-me um pouco do alcance da mão do egípcio. O Dr. Ponnonner meteu as mãos nas algibeiras, olhou para a múmia com um ar de despeito e fez-se vermelho como um pimentão. Sr. Gliddon ora puxava o bigode, ora ajeitava o colarinho. Sr. Buckingham baixou a cabeça e começou a roer as unhas da mão direita.

O egípcio olhou para ele durante alguns minutos, com um rosto severo, e por fim disse-lhe em ar de chacota:

– Então, Buckingham, ficais calado? Não ouvistes a minha pergunta? Vamos, homem, tira lá os dedos da boca!

Àquelas palavras, Buckingham estremeceu, tirou da boca os dedos da mão direita, mas em compensação meteu os da esquerda na sobredita.

Não podendo obter resposta de Buckingham, a múmia voltou-se para Sr. Gliddon com mau humor e perguntou-lhe num tom azedo o que queriam dela.

Sr. Gliddon respondeu, e se não fosse a ausência dos caracteres hieroglíficos nas imprensas atuais, teria muito gosto de transcrever integralmente e em língua original o seu excelente linguajar.

Cabe agora dizer que toda a conversação subsequente na qual a múmia tomou parte foi dita em egípcio primitivo, com Sr. Gliddon e Buckingham servindo de intérpretes para mim e para as demais pessoas da sociedade. Aqueles senhores falavam a língua da múmia com uma graça e uma fluência admiráveis. Mas havia uma coisa notável: os dois viajantes (sem dúvida por causa da introdução das imagens modernas, perfeitamente novas para a múmia) viam-se às vezes obrigados a empregar formas sensíveis para se fazerem entender por aquele espírito de outro século. Por exemplo, uma vez Sr. Gliddon, não podendo fazer compreender ao egípcio a palavra *política*, lembrou-se, com muita felicidade, de desenhar na parede, com um pedaço de carvão, um homenzinho em cima de um pedestal, com a perna esquerda esticada para trás, o braço direito esticado, o punho cerrado, os olhos convulsivamente arregalados para o céu e a boca aberta num ângulo de noventa graus.

Da mesma forma, Sr. Buckingham nunca teria chegado a traduzir-lhe a palavra absolutamente moderna wig (peruca) se Dr. Ponnonner não lhe tivesse sugerido a ideia de tirar a sua, ao que ele anuiu, não sem alguma repugnância.

Como era natural, o discurso de Sr. Gliddon versou principalmente sobre os benefícios enormes que a ciência podia tirar das investigações sobre as múmias, desculpando-se assim dos incômodos que tínhamos causado a ela, a múmia Allamistakeo. Concluindo (isto foi só uma insinuação) que, visto que todas as questões estavam agora esclarecidas, podia proceder-se ao exame projetado. Neste ponto o Dr. Ponnonner preparou os aparelhos.

Mas sobre esta última sugestão do orador, parece que Allamistakeo tinha os seus escrúpulos de consciência. Quanto ao resto, mostrou-se muito satisfeito com a nossa justificação e, descendo da mesa, veio dar um aperto de mão a cada um.

Acabada aquela cerimônia, tratamos imediatamente de reparar os danos produzidos pelo escalpelo na pele de Allamistakeo. Costuramos a ferida da testa, ligamos seu pé e pregamos um quadradinho de tafetá preto na ponta do nariz.

Tendo reparado que o conde (tal era ao que parece o título de Allamistakeo) estremecia de vez em quando (por estranhar o clima, indubitavelmente), o doutor foi logo ao seu guarda-roupa buscar um paletó feito no melhor alfaiate, umas calças de lã azul celeste, um colete branco de brocado magnífico, uma camisa finíssima, umas botas polidas, um chapéu alto, uma gravata, um par de luvas amarelas, uma bengala e óculos.

Estávamos um tanto embaraçados para adaptar as roupas do doutor ao corpo do egípcio, porque as suas diferenças de tamanho estava na razão de um para dois. Por fim, quando acabamos, pode-se dizer que estava bem vestido.

Sr. Gliddon deu-lhe então o braço, conduzindo-o para um sofá, junto ao fogão, enquanto o doutor mandava vir vinho e charutos.

A conversação animou-se. Primeiro houve uma grande curiosidade relativamente ao fato de Allamistakeo estar vivo.

– Pensava – disse Buckingham – que tivesse morrido há muito tempo!

– Como assim? – replicou o conde muito admirado. – Tenho apenas setecentos anos. Meu pai quando morreu contava mil e ainda era um homem saudável.

Seguiu-se uma série de perguntas e de cálculos pelos quais se veio a descobrir que a antiguidade da múmia tinha sido muito erradamente avaliada.

Havia cinco mil e cinquenta anos que ela jazia nas catacumbas de Eleitias. Sr. Buckingham continuou:

– Não me referia à idade que tinha quando o enterraram (basta ver para saber que é um rapaz). Queria falar da imensidade do tempo durante o qual, segundo o seu próprio testemunho, esteve de conserva no asfalto.

– No quê? – diz o conde.

– No asfalto.

– Ah! Sim, parece-me que sei o que quereis dizer. Com efeito isso poderia talvez dar o mesmo resultado, mas no meu tempo não se empregava senão o bicloreto de mercúrio.

– O que deveras nos custa a acreditar – disse o Dr. Ponnonner – é que tendo morrido e sendo enterrado há cinco mil anos, no Egito, esteja hoje perfeitamente vivo e com um ar extremamente saudável.

– Se tivesse morrido nessa época, como dizeis – replicou o conde – é provável que morto me tivesse deixado ficar, pois vejo que estais ainda muito atrasados no galvanismo para poder executar, por meio desse agente, uma coisa que nos tempos antigos era absolutamente vulgar. Mas o fato é que eu tinha caído em catalepsia e que os meus amigos, julgando-me morto, mandaram-me embalsamar. Creio que conheceis o princípio fundamental do embalsamamento...

– Não, não conhecemos.

– Ah! Deplorável condição a da ignorância! Não posso agora entrar em detalhes sobre o assunto, mas é indispensável explicar-vos que, no Egito, o que se chamava propriamente embalsamar era suspender indefinidamente todas as funções animais submetidas ao processo. Sirvo-me do termo animal no seu sentido mais vasto, compreendendo tanto o ser moral e vital como o ser físico. Repito que o princípio fundamental do embalsamamento consistia, entre nós, em parar imediatamente e suspender para sempre todas as funções animais submetidas ao processo. Em resumo, o estado em que o indivíduo se achava, na ocasião do embalsamamento, era o estado em que ficava perpetuamente. Agora, como gozo do privilégio de ter nas veias sangue de Escaravelho, é por isso que fui embalsamado vivo, tal como me vedes presentemente.

– Sangue de Escaravelho! – exclamou o Dr. Ponnonner.

– Sim. O Escaravelho era o emblema, o brasão de uma família nobre, muito distinta e pouco numerosa. Ter nas veias sangue de Escaravelho é simplesmente pertencer à família que tem por emblema o Escaravelho. Falo figurativamente.

– Mas que relação tem isso com o fato da vossa existência atual?

– Esperai. Era costume geral, no Egito, tirar o cerebelo e as entranhas do cadáver antes de o embalsamar; só a raça dos Escaravelhos era isenta dessa regra. Por conseguinte, se eu não fosse um Escaravelho, ter-me-iam privado do cérebro e dos intestinos, e então teria morrido, porque sem estas duas vísceras não deve ser lá muito cômodo viver.

– Compreendo – disse Sr. Buckingham. – Então todas as múmias que nos chegam inteiras são provavelmente da raça dos Escaravelhos?

– Sem dúvida nenhuma.

– Julgava – diz Sr. Gliddon – que o Escaravelho era um dos deuses egípcios.

– Um dos quê egípcios? – exclamou a múmia, levantando-se num pulo.

– Um dos deuses – repetiu o viajante.

– Sr. Gliddon, pasmo, realmente, de vos ouvir falar assim – disse o conde, tornando a se sentar. – Nunca nenhuma nação do mundo reconheceu mais de um deus. O Escaravelho, a íbis, etc., eram entre nós, o que outras criaturas são entre as outras nações; isto é, intermediários pelo meio dos quais prestávamos culto ao Criador, muito augusto para comunicar diretamente com os homens.

Aqui houve uma pausa. Por fim Dr. Ponnonner provocou outra vez a conversação.

– Não é improvável, segundo as suas explicações – disse ele – que existam nas catacumbas próximas ao Nilo outras múmias da raça do Escaravelho, em semelhantes condições de vitalidade.

– Decerto – replicou o conde. – Todos os Escaravelhos, que por acaso foram embalsamados vivos, estão ainda vivos. Talvez até que algum dos que foram assim embalsamados de propósito tenham sido esquecidos pelos seus herdeiros e estejam ainda encerrados nos túmulos.

– Tende a bondade de nos explicar – disse-lhe eu – o que quer dizer embalsamados de propósito?

– Com o maior prazer – disse a múmia depois de ter olhado para mim atentamente, através dos seus óculos, porque era a primeira vez que me atrevia a dirigir-lhe a palavra – com o maior prazer. A duração da vida humana, no meu tempo, regulava aí por oitocentos anos. Salvo algum acidente extraordinário, poucos homens morriam antes dos seiscentos anos. Muito poucos viviam mais de dez séculos; oito séculos eram pois considerados como a vida natural. Depois da descoberta do embalsamamento, tal como expliquei, lembraram-se os nossos filósofos que se poderia satisfazer uma curiosidade louvável e ao mesmo tempo servir consideravelmente os interesses da ciência dividindo a duração da vida natural e vivendo-a por vezes. Relativamente à ciência histórica, esta ideia deu grandes resultados. Um historiador, por exemplo, aos cinquenta anos, escrevia um livro com o máximo cuidado. Depois mandava-se embalsamar convenientemente, deixando dito aos seus herdeiros *pro tempore* que o ressuscitassem passado um certo tempo (supomos quinhentos ou seiscentos anos). Quando voltava à vida, depois daquele prazo, achava invariavelmente a sua grande obra convertida numa espécie de caderno de notas acumuladas ao acaso, quer dizer, numa espécie de arena literária aberta às conjeturas contraditórias e às disputas pessoais de inúmeros bandos de comentadores desesperados. Essas conjeturas, esses enigmas que vinham debaixo do nome de anotações ou correções, tinham tão completamente envolvido, torturado, esmagado o texto que o autor via-se aflito para descobrir o seu próprio livro no meio de toda aquela confusão. Mas uma vez descoberto, o pobre livro não valia nunca o trabalho que o autor tivera para o achar. Depois de o tornar a escrever do princípio ao fim, havia ainda um trabalho para o historiador, um dever imperioso: era corrigir, segundo a sua ciência e experiência pessoais, as tradições do dia com respeito à época em que tinha vivido primitivamente. Ora este processo continuado de tempos a tempos por diversos sábios tinha como resultado impedir a história de degenerar em pura fábula.

– Perdão – disse o doutor pousando ligeiramente a mão no braço do egípcio – perdão. Permite que o interrompa?

– Pois claro, senhor – replicou o conde afastando-se um pouco.

– Nesse caso – continuou o doutor – visto que há pelo menos cinco mil anos que foi enterrado, os seus anais ou tradições nessa época deviam ser suficientemente explícitos acerca de um assunto de interesse universal, a criação, que teve lugar, como sabe indubitavelmente, só dez séculos antes, ou pouco mais.

– Desculpe? – perguntou Allamistakeo.

O doutor repetiu a sua observação, mas só depois de muitas explicações adicionais é que chegou a fazer-se entender pelo estrangeiro. Por fim, o conde disse:

– Confesso que essas ideias são inteiramente novas para mim. No meu tempo nunca ninguém se lembrou de supor que o universo pudesse jamais ter tido começo. Lembro-me de que uma vez, mas apenas uma vez, houve um homem de grande saber que me falou de uma tradição vaga acerca da origem da raça humana. Esse homem servia-se também da palavra Adão ou barro. Mas empregava-a num sentido genérico, significando a germinação espontânea de cinco grandes hordas de homens, brotando simultaneamente do lodo (tal como um milheiro de animálculos) nas cinco partes distintas do globo.

Àquelas palavras, encolhemos os ombros, acotovelando-nos simultaneamente uns aos outros com um ar muito significativo. Sr. Silk Buckingham, volvendo os olhos primeiro para o occipício, depois para o sincipúcio de Allamistakeo, tomou a palavra nestes termos:

– A longevidade humana no seu tempo, juntamente com esse sistema de viver por vezes que acaba de nos explicar, deveria ter ajudado no desenvolvimento geral e na acumulação dos conhecimentos. Não podemos atribuir a inferioridade dos antigos egípcios, em todos os ramos da ciência, quando os comparamos com os modernos e muito especialmente com os yankees, senão à espessura mais considerável dos seus crânios.

– Confesso outra vez – replicou o conde, com uma perfeita urbanidade – que não vos entendo bem. Tende a bondade de me dizer a que ramos da ciência vos referis.

Com uma voz unânime, toda a sociedade citou, por exemplo, as afirmações da frenologia e as maravilhas do magnetismo animal.

Tendo-nos ouvido até ao fim, o conde começou a contar algumas anedotas que provavam evidentemente que os protótipos de Gall e de Spurzheim tinham florescido no Egito, mas numa época da qual já não havia lembrança, e que os processos de Mesmer eram miseráveis charlatanices em comparação com os milagres operados pelos sábios de Tebas, os quais chegavam a criar piolhos e muitos outros seres semelhantes.

Então perguntei-lhe se os seus compatriotas sabiam calcular os eclipses. O conde sorriu com ar desdenhoso e respondeu-me que sim.

Fiquei um pouco atrapalhado. Contudo, comecei a fazer-lhe várias perguntas acerca dos seus conhecimentos astronômicos quando alguém da sociedade, que ainda não tinha aberto a boca, me soprou ao ouvido que se eu tinha dúvidas àquele respeito seria melhor consultar um certo cavalheiro chamado Ptolomeu ou ler o artigo *De facie lunae,* de Plutarco.

Interroguei então a múmia sobre os espelhos ardentes e lenticulares, em geral sobre a fabricação do vidro. Mas ainda nem tinha acabado as minhas perguntas o camarada silencioso me acotovelava ligeiramente e me pedia, pelo amor de Deus, que desse uma vista de olhos em Diodoro da Sicília. Quanto ao conde, em vez de responder, perguntou-me se possuíamos microscópios que nos permitissem gravar o ônix com a perfeição dos Egípcios.

Enquanto eu procurava resposta para aquela pergunta, o pequeno Dr. Ponnonner aventurou-se numa via deveras extraordinária.

– Veja a nossa arquitetura! – exclamou com grande indignação dos dois viajantes, que o beliscavam furiosamente sem conseguir fazê-lo calar. – Vá ver – exclamava no auge do entusiasmo – a fonte de Bowling Green em Nova Iorque! Ou, se achais isso demasiado imponente, olha um instante para o Capitólio em Washington.

E o bom doutor chegou até a referir minuciosamente as proporções do edifício, explicando que só o pórtico não tinha menos de vinte e quatro colunas, cada uma com cinco pés de diâmetro, situadas a dez pés de distância umas das outras.

Respondeu o conde que tinha pena de não se lembrar, naquele momento, das dimensões precisas de nenhum dos edifícios da cidade Aznac, cuja fundação se perdia na noite dos séculos, mas cujas ruínas se viam ainda, na época do seu enterro, numa vasta planície de areia a oeste de Tebas. A propósito de pórticos, lembrava-se contudo de ter visto o de um palácio secundário numa espécie de aldeia chamada Carnac, que era formado por cento e quarenta e quatro colunas, cada uma com trinta e sete pés de circunferência, colocadas à distância de vinte e cinco pés uma das outras. Esse pórtico comunicava com o Nilo por uma avenida de duas milhas de comprimento, sustentada por esfinges, estátuas e obeliscos de sessenta a cem pés de altura. O próprio palácio, tinha, só numa direção, duas milhas de comprimento e podia ter ao todo sete milhas de circuito. As paredes eram ricamente adornadas, tanto por fora como por dentro, de pinturas hieroglíficas. Ele não pretendia afirmar que naquele palácio se pudessem construir cinquenta ou sessenta capitólios, mas sim uns duzentos ou trezentos.

Por fim, terminou dizendo que o palácio de Carnac não passava de uma construção insignificante e que, não podendo deixar de fazer justiça ao estilo engenhoso, à magnificência e superioridade da fonte de Bowling Green, tal como o doutor a descrevia, confessava que nunca tinha visto nada semelhante, nem no Egito nem noutra parte.

Perguntei então ao conde o que pensava das nossas estradas de ferro.

– Não lhe vejo nada de particular – disse ele. – Acho-as pequenas, fracas e bastante mal planejadas. Não podem comparar-se de modo nenhum com os vastos comboios egípcios, horizontais e diretos, os quais transportavam templos inteiros e obeliscos maciços de cento e cinquenta pés de altura.

Falando-lhe das nossas gigantescas forças mecânicas, concordou que não éramos de todo leigos na matéria, mas perguntou-me ao mesmo tempo como nos teríamos arranjado para colocar as ombreiras no palácio menor de Carnac.

Fingi não ouvir aquela pergunta e interroguei-o sobre os poços artesianos, ao que ele não fez mais do que erguer as sobrancelhas, ao passo que Sr. Gliddon me piscava um olho, dizendo-me em voz baixa que os engenheiros encarregados de furar o terreno para levar água ao Grande Oásis tinham descoberto um recentemente.

Falei dos nossos aços, ao que o estrangeiro redarguiu, perguntando-me se o nosso aço teria podido executar esculturas tão vivas e tão perfeitas como as que adornam os obeliscos, as quais haviam sido trabalhadas com utensílios de cobre.

Para disfarçar o embaraço em que nos lançou aquela interrogação, achamos melhor mudar o tema para a metafísica.

Mandamos buscar um exemplar da revista Dial e lemos alguns capítulos sobre um assunto, assaz obscuro, que os povos de Boston definem como O Grande Movimento ou Progresso.

O conde disse apenas que, no seu tempo, os grandes movimentos eram acidentes terrivelmente comuns e que, quanto ao progresso, esse havia sido durante longos anos uma verdadeira calamidade, mas que felizmente nunca chegara a progredir.

Falamos então da grande beleza e da importância da democracia, mas custou-nos fazer-lhe entender a natureza positiva das vantagens de que gozávamos num país onde não havia rei.

O conde escutou o nosso discurso até ao fim com um interesse visível, parecendo realmente gostar de nos ouvir. Quando acabamos disse que na sua terra se havia passado, em tempos muito remotos, uma coisa perfeitamente semelhante. Trezentas províncias egípcias resolveram de repente ser livres, dando assim um grande exemplo ao resto da humanidade. Reuniram os seus sábios e fabricaram a constituição mais engenhosa que se pode imaginar. Durante algum tempo, tudo foi pelo melhor; por fim, a coisa acabou da seguinte maneira: os treze estados da sociedade, com umas quinze ou vinte outras províncias, consolidaram-se no despotismo mais odioso e mais insuportável de que se tenha jamais ouvido falar à superfície da Terra. Perguntei-lhe o nome do tirano usurpador; respondeu-me o egípcio que, se a memória lhe não falhava, esse tirano era a Turba.

Não sabendo já o que lhe havia de dizer, deplorei a ignorância dos egípcios relativamente ao vapor. O conde pôs-se a olhar para mim muito admirado, sem dizer palavra. O *gentleman* silencioso deu-me uma furiosa cotovelada nas costas, perguntando-me se eu tinha realmente a ingenuidade de ignorar que a máquina a vapor moderna descendia da invenção de Hero, sem falar em Salomão de Caus.

Estávamos decididamente em grande perigo de derrota quando o Dr. Ponnonner, aproximando-se da múmia com um aspecto grave e profundamente digno, lhe pediu para dizer com toda a verdade se os egípcios de qualquer época tinham alguma vez conhecido as pastilhas Ponnonner.

Esperamos a resposta com indizível ansiedade, mas em vão. A resposta não veio! O egípcio corou até às orelhas e baixou a cabeça. Nunca houve um triunfo tão completo nem uma derrota sofrida com mais despeito.

Não podendo suportar o espetáculo da humilhação da pobre múmia, peguei no chapéu, cumprimentei-a com um certo embaraço e saí.

Quando entrei em casa vi que passava das quatro horas. Fui imediatamente para a cama. Agora são dez horas da manhã. Desde as sete que estou levantado, escrevendo estas notas para instrução da minha família e proveito de toda a humanidade. Quanto à primeira jamais a tornarei a ver. Minha mulher é uma megera. A verdade é que esta vida e em geral todo o décimo nono século me metem nojo. Estou convencido de que tudo anda às avessas. Além disso, tenho imensa curiosidade de saber quem será eleito presidente no ano de 2045. Por todas estas razões, assim que tiver feito a barba e tomado o meu café, parto para casa do Dr. Ponnonner a fim de me fazer embalsamar durante alguns séculos.

**CONFIRA NOSSOS
LANÇAMENTOS AQUI!**